DAYANE OLSON

CYBER MAKEUP

Edição da Autora
Estados Unidos - EUA
2022

Capa e Diagramação:
Jéssica Lindemberg

Impressão:
Uiclap

Dados Internacionais de Catalogação na Publicação (CIP)
Aline Graziele Benitez - Bibliotecária - CRB-1/3129

Olson, Dayane

Cybermakeup / Dayane Olson. – 2. ed. – Ibatiba, ES : Ed. da Autora, 2022.

328p ; 21cm

ISBN 978-65-00-39049-0

1. Antropologia 2. Maquiagem 3. Maquiagem - Aspectos sociais 4. Maquiagem - História I. Título

22-100241   CDD-646.72

Índices para catálogo sistemático:
1. Maquiagem : Estudos de uso : Cuidados pessoais   646.72

Impresso no Brasil / *Printed in Brazil*

CONTATOS COM A AUTORA:
Instagram: @dayaneolson
Email: dayane.farol@gmail.com

SUMÁRIO

ENGLISH

CHAPTER 1

CHAPTER 2

CHAPTER 3

PORTUGUÊS

CAPÍTULO 1

CAPÍTULO 2

CAPÍTULO 3

ENGLISH

CYBER JESUS CHRIST

Sonia Missagia Matos

Thinking about the aesthetic experience, not just as a way to access knowledge, the film "Matrix" is an articulated field of good things to think about. The way in which the facts are combined there, although not always well defined or clearly marked, may suggest a re-reading of the ancient and our already well-known History of Salvation.

State-of-the-art science fiction "Matrix", an American production from the year 1998, directed by brothers Andy and Larry Wachowski, tells the story of a hacker who one day, upon awakening, found himself controlled by cybernetic arthropods. The entire planet was too and he had to save it.

As in a myth, this film is full of meanings, and in magical-mythical symbolic thinking there is no "true" version of a narrative – of which the others would be copies or deformed echoes – all versions belong to the myth and, therefore, explain feelings and command the routine of life.

The movie "Matrix" is populated by "cyborgs". Forged in specific historical and cultural practices, cyborgs are cybernetic organisms, a fusion of the organic and the technical. Because they were not made of clay, nor animated by a breath that turned into life, they could not dream of returning to dust, to paradise, the origin, or the Matrix.

But on that day anything was possible... The past and the future were present there in "Matrix". The central character of this multicolored drama is "Neo". Born in the imploded matrices of the New World Order, "Neo" is several things at once. In the world of cybernetics, he is a commodity that is retailed at the box office of cinemas. He is also special effects, sounds, colors, shapes...

But what can be read on the apparent surface of the film hides something that is hinted at in the deeper reality of "The Matrix", something that has to be reconstructed in order to discover. Through an objective analysis, progressively reducing some facts, we can leave the level of the sensible, the apparent, which is confusing, which is inexplicable in itself, and reach a certain level of the symbolic system that structures the underlying Christian narrative and that recovers , in the game of the signifier, the image of the Savior.

Thus, he is also a Cyborg Christ, of a virtual-real nature, an apocalyptic Christ. The substance of the History of Salvation is present in the history lived by "Neo".

Pursued by the "demons", for whom humanity is a "cancer", sold by one of his friends, "Neo" feels bad for having been put to sleep by the forces of evil. But "Neo", the New, is the fated to save Zion, the Mothership, the metaphorical center of the Earth which is the capital of the "Matrix", or the New Jerusalem. "Matrix", the sacred that cannot be touched under pain of being subsumed.

"Neo" has his way prepared by Morpheus. Morpheus, one of the sons of Hypno, the Sleep, but also the one who provides lost dreams. Like a John the Baptist, Morpheus propitiates the dreams of "Neo".

It is he who announces his arrival as predestined, and who accompanies him throughout his preparation process to carry out the "divine" mission—the sacrifice that will redeem the children of Zion. A mission that "Neo" embraces by rejecting the temptation of the blue pill that would distance him from the path of Calvary that he would have to climb. He rejects temptation, the devil and opts for the red pill, offered to him by Morpheus and which is analogous to the "divine blood", the living water of baptism. Like the Jewish Christ, "Neo" also faltered, even asking himself if it would not be possible to go back, if it would not be possible to have the "chalice" removed.

At the end of the rite of passage, "Neo"'s body is covered in sores. Remade and recognized as finished by the sons of Zion, "Neo" is symbolically renamed by Morpheus in Kung-fu fight scenes.

Above all, "Neo", a figure developed within Christian symbolism through technoscience, produces a specific human unity. He is our brother Christ Cyborg. It is the practice of materialized human refiguration. He is the apocalyptic sacrificial lamb of the Third Christian Millennium, who ascends to Zion and supports our suffering.

PhD in Anthropology, Unicamp, Professor of Anthropology at UFES/Vitória. Estado de Minas: Opinion Notebook. 23 June 1999 p.9

"Online **makeup** has changed the face of the **beauty industry**"

Maya, Glow Up show at BBC
Streamed at Netflix United States, 2021

A cybernetic organism or "**cyborg**" in IT is defined as an organism with both biological and technological components. In some definitions, a cyborg is described as a hypothetical or fictional creation. However, in a technical sense, humans can be seen as cyborgs in various types of situations, including the use of artificial implants. person could be considered a cyborg when they are outfitted with implants such as artificial heart valves, cochlear implants or insulin pumps. A person could even be called a cyborg when they are using specific wearable technologies like Google Glass, or even using laptops or mobile devices to do work.

Techopedia, Jan 2017.

Cyborg anthropology is a discipline that studies the interaction between **humanity** and **technology** from an anthropological perspective. The discipline offers novel insights on new technological advances and their effect on culture and society.

Cyborg anthropology – Wikipedia

STATISTICS

$382 billion
is what Globally consumers spend an
estimated on beauty products each year.
GLOBAL INSIGHTS at https://askwonder.com

$483B in 2020 to
$511B in 2021
and with an annual compounded growth rate of 4.75%
worldwide — it's predicted to exceed

$716B by 2025
www.commonthreadco.com access at Sep 28, 2021

> [...] the Cosmetics and Perfumery sector held 15% of e-commerce sales in Brazil, according to the annual report of the company E-bit (WEBSHOPPERS, 2015), occupying the second position in the ranking of the sectors that sell the most in the country, through purchases in virtual stores. (in QUIRINO, 2017: 177).

The factory, as a paradigmatic institution of the capitalist economy, is situated on the side of solid Modernity. The company is located on the side of liquid Modernity: heavy thermodynamic machines give way to elegant digital equipment [...] while the factory maintained a strong bond with the locality where it was located, mainly due to its strong dependence on the workers who worked there. They inhabited the company as if it were floating in cyberspace, having only a fragile anchorage at a point in material space. (BAUMAN, 2007: 99 in SARAIVA, 2009: 190).

The sociologist Zygmunt Bauman.

DEDICATION

First to **God** the Father, for the Father that He is only your real presence even when we think we are alone, for your unconditional love that never gives up on us, for your long-suffering patience and omniscient wisdom, the God who knows all things, knows our hearts and probes our deepest thoughts. Who sent us his perfect Son.

To God the Son, the Lord **Jesus Christ** for his sacrifice, example of life to honor God the Father, and show us the most precious things in this life The Way, The Truth and the Life. More than family, money and any human knowledge that can be accumulated but that are doomed to vanity, but we know that when these things one day don't exist anymore that his Word will never pass. For the Word exists eternally with God, and is also God.

To the **Holy Spirit**, as the third person of the divine trinity in his effort to save the elect, who takes our prayers with the Father when we don't even know what to say, who convinces us of all sin and guides us with wisdom by the Truth that is the Word of the Father to understand things that the Lord decided to hide from the wise, and to reveal to the humble.

Family: To my husband, to my children, to my father-in-love and mother-in-love, the parents that God gave me;

To my parents **Davi** Xavier de Souza and **Fernanda** Prudenciana;

"I have no greater joy than to hear that my children walk in truth" 3 John 1:4

To my grandparents: Grandma Guilhermina (mother side), Grandma Sônia and grandfather Agripino Silvestre de Souza (father side). Dear Aunt Márcia Araújo and my friend Eliana Oliveira who gave me her house when I most needed shelter in a big city that knew no one and needs to stay to study, my eternal gratitude.

From left to right: Sônia, me, Mom, Guilhermina

Eliana Oliveira, aunt Marcia (in uncle Marcos memory)

Teachers, Maters, Doctors: I wish I have a picture with each one of y'all, but here is two good ones that represents all the encouragement.

Consuelo Miranda when the official news of the state publish about the speak that she invite me to do at my hometown state high school about encouragement for they pursue to college and be the best and give no less than their best.

Lourdes Maria Sousa de Paula, my first teacher
and PhD Sonia Missagia Matos

Patrícia Pavesi: I couldn't graduate without her, because who would give me so much freedom to talk about a topic without consolidated lines of research? Something so new and that, even if it were emerging in the world, still in the traditional academy, it could be something too fragile to be treated as an undergraduate subject. Even so, she believed, she did not deny me efforts and support, she always encouraged me in the most difficult moments when strength was about to succumb. God knows about the angels he places in our path.

Sônia Missagia: Symbolic mother, from Durkheim to Mauss classes, she always spoke smiling, taking the load off a tired day that many took to the classroom at night after a day's work. The way she spoke left such an interesting imprint on the subject that it soon seemed as if Mauss was talking about our day. And her passion for Science and God to this day are inspiration for my life. May the Lord bless your cause for always fighting for the rights of the oppressed.

Sandra Costa: Thank you for your tolerance, passion, love and wisdom.

Eliana Creado: Mother, an anthropologist from the country city of Barretos -SP, she also won by studying and pursued a dream when everyone wondered about the functionalist dynamics of an anthropologist. It makes me reflect on how much we still have to go through this, and how to go on without resentment, being an inspiration for me as a scientist.

All of you, tired, with an immense load of social responsibility on your back and for years without much recognition of how much you do for this nation, are symbols for me of a "**Cybernetic Christ**" (MATTOS, Sônia Missagia, 1999). Believing in values, deconstructing structures and concepts so intrinsic in us students that we didn't even know how powerful education could be in this process of freedom. About our dreams you believe in them, even when they are still on paper. Thank you very much, they were the best years I sought in my life of knowledge. Everyone could have this education as basic for life, learn about respect for otherness, our place in the world, the spaces that the world brings beyond the physical, how to deal with social issues discussing, disagreeing but above all, preserving the integrity that makes us and the conditions for maintaining life in society.

To my home country, my Nation-State Brazil and the education policies that have expanded resources in Federal Universities to make it possible not only to enter, but also to stay at the university, although there are still many improvements. However, until now it has made it possible for many Brazilians to realize that great dream of attending quality higher education, even away from home most of the time, which today is a great privilege for my countrymen in the city of Ibatiba.

AUTHOR'S NOTES

1. The purpose of this bilingual edition is to be able to offer to our family and friends in US and World wide a version in their language of this first independent publishing. We don't have enough reviews to improve this first version in English yet, so please send us your critical, orthographic and semantically reviews through our email: dayane.farol@gmail.com but please don't forgot to send us the pages and paragraphs ordering. We appreciate all your help! God bless you!

2. This work was originally presented at the Federal University of Espirito Santo in October 2017 to the Social Sciences Course of the Department of Social Sciences of the Center for Human and Natural Sciences as a partial requirement for obtaining a Bachelor's degree in Social Sciences. Professor Dr. Patrícia Pereira Pavesi and under the original title: **Makeup as an object of Social Sciences: Ethnography on labor relations, gender and subjectivities in Sociotechnical Networks.** Where then later in 2021 it had its first edition in the CTP category (Scientific, Technical and Professional) by Editora UICLAP, São Paulo in the original version in Portuguese.

3. As this is a publication for the general public and not just academics, I took the liberty of making an updated review of the general aspects of the work in a simpler language, in a short version of a few pages that you can find on the next pages titled as "critical review" for those who are not familiar with the academic concepts and terms, under a more contemporary perspective of the millennial generation. So if, like me, you don't have a lot of time to waste reading a very extensive work without a personal goal that keeps you interested, if you're not an academic or professional in the area, this review is for you.

TRANSFORMATION

TRANSFORMATION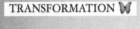

When you first know Jesus as your personal Lord and Savior you should get ready for your life to completely transform.

Of course it is a PROCESS, it takes time, takes effort, sometimes hurts, and it can feel impossible (as it would be impossible to get this beautiful hair style without the talent of a professional @simonekerley).

Changing my hair color made me feel more confident, made me feel more beautiful, and made me feel like a different women, and I begin to think about how similar that was to SALVATION.
When you truly have a relationship with GOD thorough Jesus Christ the son, your life will be TRANSFORMED, you will feel beautiful, you will feel confident, and you will feel like a completely different person.

If you are looking for a transformation on the outside then go to the professional @simonekerley, but if you are looking a transformation on the inside go to the professional our Lord and Savior Jesus Christ.

Available anytime for prayer if you want to give your life to Jesus Christ today

"Do not conform to the pattern of this world, but be **transformed** by the **renewing** of your mind. Then you will be able to test and approve what **God's will** is–his good, pleasing and perfect will".

Romans 12:2 NIV

PREFACE

ACCEPTANCE OR CONFORMISM?

What do I mean by the digital world? We can impact other lives through digital, but not only impact, but also take the Word of God and influence in a really positive way. We have seen many cases (sic), this week I had a situation where a client arrived at the salon unmotivated, and said that she would follow someone else, and that the other person made her accept herself the way she was. And then I saw the opportunity to talk about the issue of self-care, makeup, personal care.

So I told her:

– I disagree with the general acceptance part, because I think we should accept something in our life as long as it doesn't cause any harm to the health of our body, our mind, our spirit. Oh yes, you must accept yourself yes! But we have to know the difference between acceptance and conformism according to the biblical perspective where it says that **"we must not conform to this world, but we must transform it"**. So enter the influence part. You must be careful about everything that you have let into your heart, into your mind. Because how can I actually make a difference in someone else's life if I don't do it in my own life? So I see that through digital my vision has changed a lot, because we reach people, places we never imagined reaching, so I think we have to be careful when influencing people.

Are we making people conform to this world?

Or are we transforming people's lives through the Word, through knowledge, and through love?

Priscila Coelho
Makeup Artist and Digital Entrepreneur
@priscilacoelho1

ABSTRACT

An interdisciplinary bibliographical review with the proposal to make makeup an object of investigation in Social Sciences, as well as reaffirm the pertinence of Cyberspace as a theoretical and methodological current. As methodology we use Ethnography in virtual digital environments with the objective of creating an agenda of political actors for ethnographic research. Finally, it is considered that makeup is a potential scientific research object for Anthropology in that it contributes as an investigative field, especially within a complex system that comprises the information age and its restructurer role of the development mode of the capitalist system, where political actors are permeated by sociotechnical networks that negotiate relations of Power, Experience and Production (CASTELLS, 1999).

Keywords: Cyberspace, Makeup, Consumption, Gender, identity, Social Sciences.

CRITICAL REVIEW

THE EPISTEMOLOGICAL FRONTIER IN SOCIAL SCIENCES: RESEARCH ON MAKEUP IN CYBERENVIRONMENTS

A course conclusion work that resulted in the publication of the book, as an ethnography of a student of Social Sciences based on her experiences working as a freelance makeup artist and in parallel as a digital influencer in different social networks such as: Instagram, Youtube and Facebook, especially to complement income and assist in completing the course.

Divided into three main sections, each session has about 4 to 7 different chapters where you can observe in the first session: "Technology and Society" the development of basic concepts and context of the importance of thinking about makeup as an object of Social Sciences in a context technological "cyberenvironments"; in the second session "Ethnography in Cyberenvironments" is where the limits that Social Sciences present in terms of methodology and even about their epistemological aspects are discussed in the sense that to what extent are Social Sciences discussed from the point of view of what would be the The ways in which society organizes itself ignores some contemporary aspects such as a new space for discussion where society takes place: a virtual environment, understood as an extension of the human being itself, the cyborg being. And then the third session: "Makeup" more about the object of study itself, where its historical aspects and potentialities of communicating messages in the bodies of political actors in cyberenvironments are conceptualized.

> "[...] as a daughter of art, makeup lends itself to social actors to signify political discourses inscribed in their cyborg bodies as a technique of the body" (DE SOUZA, 2021: 69 p.)

It is understood that makeup brings with it not only a form of art, but also communication of the body, inscriptions on the body, echo messages about social status, political positions, and gender, in parallel that is present in most digital influencers. of the female gender in the social networks observed and statistically grouped to be evaluated in this research (74-76 p.) because it is a specific group separated methodologically. However, the use of makeup and filters is something that is observed with some frequency among users of the social network Instagram, more specifically, which should undoubtedly move many "K"s in the cosmetics industry, economically altering the dynamics even internationally. .

However, would the Social Sciences be prepared to evaluate this whole process of "restructuring the capitalist economic mode" (CASTELLS, 1999 in)? Or yet, to what methodological or epistemological extent would it be possible to study these political actors permeated by sociotechnical networks that negotiate the relations of Power, Experience and Production?

Big questions and long processes to understand the entire complexity of the phenomenon, as it is said in Social Sciences about the events of the July 2013 Demonstrations that took to the streets of Brazil with Brazilians frustrated with the specific political/government management as a whole in its aspects morals on the issue of corruption; when a phenomenon like this happens social scientists can only gather data, process it and carefully evaluate all possibilities, no reductionist response can suffice without an accumulation of data, and speaking of accumulations of data (data) one thing has been certain about this new space for exploring the dimensions of the human being, it presents an unprecedented ease of use of tools to process data, that is, evaluating a priori the reliability of institutions and technology providers we will certainly have much more material and in record time than that almost 10 years ago almost the diagnosis of the demonstrations of July 2013 were evaluated and processed and after at least two years there was an opinion on the measures of the phenomenon, but that was when the social community no longer cared about the matter, thus remaining for almost resolute academic use for future generations to study the phenomenon.

But if one of the main roles of Universities in the World is to seek social prestige, in the sense of Research, Teaching and Extension, what role has the course epistemologically known as Social Sciences played? Should we create a new paradigm like Computational Social Sciences to assess phenomena faster and more empirically? Once again big and complex questions, but with a certain urgency of answers, after all, this new space of knowledge in the digital world doesn't wait that long, because the processes change very fast.

Would this new potential paradigm, Computational Social Science, still have to some extent a new paradigm between

Social Work and Communication, or would it not have anything new and simply an upgrade, update on the classic methods of Social Sciences? These are questions that are attempted to be answered in the middle section of this work, but very limited to the time and argumentative capacity a graduate student could discuss. Communication in this other paradigm is suggested in the sense that in this specific object important categories were observed for that other area of knowledge, Consumption and Information Technologies, obviously this object assumes specificities in relation to "Makeup insofar as influencers through Sociotechnical Networks, an activity in the Brazilian cosmetics market that is already considered – as already announced – one of the largest in the world, which makes it interesting for social scientists to assess the extent to which these influencers constitute and change relationships with the body as a discourse of affirmation of the "myth of beauty" (WOLF, 1994 in) or of "sustainable beauty" (CARON, 2014 in).

> "Finally understanding the Network Society is more than doing Anthropology and Sociology, it is also understanding the historical steps that society is taking, entering a new era, which is fundamentally proven historically by the fundamental patterns of Sociology in Castells (1999 in)"

The conclusion of this scientific essay, at least, is that "Cyberculture composes another space where the human experience in interaction through Sociotechnical Networks forms, modifies and re-signifies subjectivities, thus making it a methodological challenge for Anthropology" [and everything that can be done]. complete for now. But how this will happen will depend on the next generations of computational social scientists and their methods of scientific investigation, but it is quite clear that the speed not only of the Social Sciences, but of all areas of universal knowledge as a holistic whole and integrated, combining the speed of the information process in the era in which the most data is accumulated in the history of humanity, since we don't have many records since the fire of the library of Alexandria.

INTRODUCTION

Treating an object like Makeup that is not very diffused in the area of scientific knowledge of Social Sciences becomes a challenge in space-time insofar as short deadlines are presented – such as the work process for completing an undergraduate course – due to a somewhat new object in the discussion of Anthropology's interest, requiring developments in other areas of teaching and research to consolidate theoretical and methodological material. However, once this interdisciplinary material is considered as a battery of information to be developed within lines of research that are more open to proposals with this plastic dimension - Anthropology and Technology - and considering the contact property of the researcher and object relationship, it can be to face the ethnographic field of research with a little more propriety, in order to raise content for social scientists beforehand.

The theme that permeates the discussion of technology and society justifies such importance because it has been a proposal for the Social Sciences for some time, we have as examples:

Subjects taught in the undergraduate program at the Federal University of Espírito Santo in the Social Sciences course, such as "Anthropology and Technology" in 2015 with Professor

Dr Patrícia Pavesi, and the insertion of the author Donna Haraway, which was already done in other disciplines of Anthropology, talking about the cyborg body and the relationship between man and machine, also with Gilbert Simondon. Which makes it possible to think about other methodologies of scientific work, and other concepts such as: Cyberspace, Cyborg, and Technical Objects that are so much part of contemporary lifestyles.

Thinking about modern technology in the Social Sciences from a more aesthetic perspective and less from political and economic criticism is a recent fact, changes in labor relations introduced from the advent of the newest information technologies are also something fresh for those who studied the classics (Durkheim, Marx and Weber) and their contemporaries in Sociology, for example. Anthropology of consumption could perhaps account for part of this problematization about contemporary consumptions enhanced in and by Cyberspace.

Therefore, the most central objective of this work is to review the literature on the theories that allow us to think about the limits of cyberspace for the social sciences as a theoretical and methodological current that Anthropology is used to; considering as an object the makeup that illustrates contemporary times with other relations of consumption, gender and identities with the advent of techno-scientific. Themes dear to the Social Sciences and which are elucidated in the analyzes more current systematics introduced by the Spanish sociologist Manuel Castells.

And as a more specific objective, to raise small anthropological interpretations about: Technology and Society; "new" configuration of relations of consumption, work, body, gender and identities from the circumscription of the object of Makeup.

The work is divided into three main parts Technology and Society, Ethnography in Cyberspace and Makeup. Categories such as Technology, Body Techniques, Consumption, Gender Relations, Power, Work, and Subjectivities are present in the three parts of the work, especially in the Digital Age, which reaffirms the connection between the themes.

The first part of the work refers in a broader sense to the investigation of how technology has shaped community lifestyles, affecting the broadest instances of social life through the eyes of the Social Sciences. This block is divided into a series of subtitles that bring nuances of how contemporaries of the classics of Social Sciences and their epistemologies have theorized the relationship between Technology and Society.

In second place comes ethnography in digital virtual environments, bringing social actors that raise some themes of the Social Sciences that were discussed in this work as a review of the ethnographic method in anthropology and its limits.

In the third part of this work, space is reserved for a brief historical and bibliographic review of how Makeup is present in the dear themes of Social Sciences and can serve as an object of scientific analysis and its limits as such.

The systematic methodology used in this work has a theoretical-methodological approach somewhat based on reflections from Contemporary Anthropological Theory. For, it is expected from the Social Sciences, more today than ever, that paradigms are questioned in favor of the expansion of the scientific debate.

In this way, anthropological experiments were designed over the years, especially in the 20th century, where there was funding from the English government to investigate cultures in the western pacific, with Malinowski among the Trobriand and Aboriginal people (MALINOWSKI: 1922) where there was one of the first paradigmatic ruptures of scientific and systematic knowledge to get to know cultures in community and describe them. Also in Africa Central-Eastern Englishman Evans-Printchard (1940) among the Nuer peoples who properly applied characteristics of what would be a Social Anthropology for better use within the area of epistemological knowledge.

Therefore, it can be said that from the 21st century onwards, there is a tendency to "reject holistic descriptions", and more attention is paid to how much of the other is between us, and more than the power relationship present in the discussions of the groups in question. is concerned with what is similar or different. And there is still a lot of talk about the limited ability to describe alterity, therefore, more important than saying what the other is, is asking the group what their conceptions about themselves are, and exposing our doubts and problematizations to which they lead. to certain interpretations.

In order to clearly establish the relationships between research and object, as done above in the description of this work, preventing the validity of scientific systematization from being questionable. These are at least the most general methodological characteristics that contemporary anthropological work should pay attention to. For more information on the "role of the author in the ethnographic text" see Teresa Pires do Rio Caldeira (1988).

CHAPTER 1

TECHNOLOGY AND SOCIETY

One cannot talk about Technology and Society without citing the Spanish sociologist Manuel Castells, author of one of the most complete works for social scientists on the subject. It brings together in a trilogy data from the beginnings of what it calls the "information age" in contrast to the theory of the socioeconomic dynamics that the world has been going through after this advent, available from the first title "A Sociedade em Rede" (1996), followed by of "O Poder da Identidade" and "O fim do Milênio" that work on the question of the "new economic-technological paradigm for social and political institutions" (CARDOSO in CASTELLS, 1999:36).

It is an enlightening study to understand the sides of this complex prism of contemporary social scientific knowledge. He has already been compared for his broad scope of worldview and volume of information to Max Weber in "Economy and Society" by none other than Anthony Giddens, the latter considered the most important contemporary British sociologist. One dares to interpret that in the line of succession of classics of the Social Sciences, perhaps Castells is for Weber as Giddens is for Marx.

Castells warns over 12 years - as he puts it in the introduction to the first edition that gathered data from the United States, Asia, Latin America and Europe - the importance of introducing in the analysis the displacements that sociability contemporary society has taken, and in fact, it is difficult to deal with social categories without citing some affectation of these considerable transformations, especially in the political arena when discussing, for example, in Brazil today indigenous territoriality is being questioned by the opposition with arguments that the use of technology tools on the part of indigenous peoples supposedly makes their indigenous identity vulnerable. Which is unacceptable to think, since cultures since the middle of the century are already studied by the anthropological paradigm as "in motion". And his scientific authority doesn't stop there, Castells is also among the most cited social scientists in the 21st century, especially in the period from 2000 to 2006, according to data from the annual Social Science Citation Index. The author's broad world view has the ambition to understand the "new social structure", according to him, involving cultural diversity agencies and current institutions, however, as an astute social scientist does not do it naively.

For, the political decision is also present in such a dense work academically, in the preface Fernando Henrique Cardoso, sociologist and former president of the republic, attentive to the issues of political unilaterality that according to Castells...

> [...] finds in the information-based technological paradigm guiding principles of a new "mode of development", which does not replace the capitalist mode of production, but gives it a new face and contributes decisively to defining the distinctive features of societies of the late twentieth century. (_____ in _____, 1999:35-37).

In other words, the political neutrality of the social issues of the information age is not excluded here, at all times one must be attentive to a political dimension of capital with this "new face" – I would risk paraphrasing the next part of the work, speaking of the face capital's make-up, or rather, the made-up capitalist mode of production, since the artistic resources are arranged for the characterization of the human face as technology and information systems are for this capitalist mode of production – As well as positioning itself in the productions academic knowledge becomes an even greater need – in terms of describing the relationship of the researcher in relation to the researched object - since productions in Social Communication, Marketing, and Advertising can make use of this technological knowledge in relation to society with naivety in relation to the effects for this, investing optimistic proposals for the development of capital.

A set of substantive concepts to talk about contemporary times are arranged in his work, as the various concepts of Karl Marx to understand the Capitalist System as a whole, however, this is a small research work for graduation with time and sources of research that are still a little limited, therefore, attention is paid to at least two most central concepts of Castells' work to start the theoretical interpretations and their findings, here are the most central concepts that will be analyzed in this work: Information Age, Informationalism, and Network.

Information Age refers to the post-industrial historical time, especially with roots in the 70s of the 20th century from the Microprocessor, computer network, optical fiber and personal computer – even if the latter was still linked only to the organizational relationship and bureaucratic administrations, without the strong aspect economically – however, its central configuration and landmarks in the multiple aspects of social life occur precisely from the 80's.

A fact that illustrates this advent and its gender shifts in Brazil is in the memories of the young activist Camila Achutti - this information was extracted from a report - who joined USP (University of São Paulo) in 2010 and faced the reality of being the only female in a class of 50 students from the Computer Science course, she questioned herself about her space, and since then she has been fighting for gender equality in computing through blogs and social projects (among them the creation of applications to help women in conditions of social vulnerability).

In a conversation with a mother who was not motivated to continue in the course, she found a photo of the first class of the course in 1971, where 70% of the students were female. After a survey, Camila interprets that at the time the use of the microcomputer was limited to the administrative use of some universities and offices by secretaries, a profession not consolidated without being central to the family budget. What changed from the 80's with millionaire injections in the Information Age business market. (CAMILA, 2015)

This memory reinforces the importance nowadays in the Social Sciences of inserting technology in debates about gender, spaces of occupation of women in public and private life, especially in decision-making and power relations - other aspects of social life interested in Social Sciences will be further investigated in the virtual ethnography of this work.

Informationalism is a new mode of development that it is part of a new structure of social dynamics particularly triggered in the Information Age shaped a priori for the "restructuring of the capitalist mode of production".

Informationalism is about technological development, knowledge accumulation and information complexity just as industrialism is about economic growth in general terms. Therefore, the function of informationalism is to meet the search for knowledge and information that can largely be used for the development of production (CASTELLS, 1999).

Despite the origin of informationalism coming from spheres of domination of the productive and military industrial society, the relationship with technology expands to other instances of social life, for example, it penetrates the relationship of "power" and "experience" of human life, changing modes of Being, acting and thinking complexifying the relationship of social behavior compared to an industrial age, in the information age technology has shaped new structures of social behavior, interacting with the culture that interests anthropology. Especially until the emergence of new cultures can be evaluated, because the network interaction makes it possible to think about other cultural origins, which was already expected by Castells when he speaks of "new historical forms of interaction, control and social transformation".

One of the best examples of these historical forms of interaction is the network culture organized around social life with virtual unfoldings, the Second Life social network (FIGUEIRA, 2007).

And it is interesting that social scientists and anthropologists who study networked cultures are aware of the theoretical way that organizes this social dynamics of historical individuality in a very broad way (WEBER, 1930), therefore, maintaining the theoretical separation between modes of production: capitalist and statist and modes of development: industrialism and informationalism are fundamentally necessary.

> The theoretical perspective that underlies this approach postulates that societies are organized in processes structured by historically determined relations of production, experience and power. Production is the action of humanity on matter (nature) to appropriate it and transform it for its benefit, ob-

45

taining a product, consuming (irregularly) part of it and accumulating the surplus for investment according to the various socially determined objectives. Experience is the action of human subjects on themselves, determined by the interaction between the biological and cultural identities of these subjects in relation to their social and natural environments. It is built by the eternal search for the satisfaction of human needs and desires. Power is that relationship between human subjects that, based on production and experience, imposes the will of some on others through the potential or actual use of physical or symbolic violence. Social institutions are constituted to enforce the fulfillment of the power relations existing in each historical period, including the controls, limits and social contracts achieved in the struggles for power. (CASTELLS, 1999:51-52)

On the broad theoretical model referred to in this work, for a minimal understanding of what this context of "restructuring the capitalist mode of production" would be in which the makeup theme is inserted, it is necessary to better explain at least three basic concepts that order this thought. of the new structuring of social dynamics. Which would be: Production on the relation of classes, Experience that presupposes the relations of gender and Power with the relation of the monopoly of the use of force by the State.

Within the "production" fragment, part of the grand theory, technologies and their information networks are studied here.

As a mediator of the relationship between "labor" (human) and "matter" (nature) that becomes important in the explanatory measure on a larger theoretical approach to understand the general theory, which would be the processes of the means of production that involve energy (human, labor), knowledge and information (technology). In this way, it is finally understood that informationalism is a specific means of production, a category so noble to the Social Sciences, especially in contemporary times when production and work are undergoing a restructuring moment that will be illustrated in this work.

Therefore, understanding the meaning of informationalism is important insofar as it criticizes "post-industrialism", and constitutes to a large extent the bases for thinking about the "problems of our time", as Castells (1999) warns, referring to antagonistic relationship of "social homogenization" and cultural diversity, structural transformations of employment with the vulnerability of the workforce as a central problem, but not only because it is within the work perspective and this also implies in new business practices that will be illustrated here in of the fastest growing category in the current world, which are digital influencers, this also adds importance insofar as it can be related to the question of the forms of "inclusion" and "social exclusion". (CASTELLS, 1999: 39-51).

Networks are at the same time instruments open to new integrations as long as they communicate similar codes, in the sense of values or objectives, and also a source of "reorganization of power relations".

Networks have been an appropriate tool in the capitalist economy. For, through the networks, financial flows of political interest pass through the "media empires", and it is worth thinking about media empires that this one also goes through a moment of constant change and innovation. What was once centralized in media such as radio and TV in the Information Age, they undergo a change and are stratified by social networks and other forms of media that the Social Sciences are responsible for investigating who are the new heads of the great beast of the apocalypse, paraphrasing Hobbes on Leviathan to speak of civil government.

These financial flows of political interest referred to above would be just one of the multiple forms of connection between networks representing "privileged instruments of power". Being their connectors, or whoever is connected to these networks will be the "holders of power".

The importance of studying networks, therefore, lies in the material basis on which society is organized through the networks that shape the directions of the predominant social processes and mold the social structure of which we speak.

Which is undergoing structural transformations from industrial development to informational, or rather, informationalist.

Below, in the words of Castells (1999), the concept of network to characterize society in the Information Age:

> [...] Network is a set of interconnected nodes. Node is the point at which a curve intersects. Concretely, what a node is depends on the type of concrete networks we are talking about. These are stock exchange markets and their ancillary service centers advanced in the network of global financial flows. They are national councils of European ministers and commissioners of the political network that governs the European Union. They are coca and poppy fields, clandestine laboratories, secret airstrips, street gangs and financial institutions to launder money in the drug trafficking network that invades economies, societies and states around the world. They are television systems, entertainment studios, computer graphics media, news coverage teams and mobile equipment generating, transmitting and receiving signals in the global network of new media at the heart of cultural expression and public opinion in the information age. (CASTELLS, 1999:566)

Finally, understanding the Network Society is more than doing Anthropology and Sociology, it is also understanding the historical steps that society is taking into a new Era, which is fundamentally proven historically by the fundamental standards of Sociology.

For example, it can be said that we live in a new era of human civilization because the relationship between Nature and Culture is once again undergoing a transformation.

If for millennia there was a model of the domination of Nature over culture (example of the relationship between genders: homosexuality, sexism, etc., which associates "the codes of social life to the roots of our biological identity"), as it is studied in Anthropology. After this model of order in civilization, we had the modern industrial and rational Age with the domination of Nature, with a two-way street for society, if on the one hand it frees itself from submission to nature on the other it is subjected to oppression and exploitation. human of industrialism.

After the domination of Nature, and after the domination of Culture over Nature, one can now speak of Culture for its own sake. Where social interaction and organization pass strictly by Culture - even in terms of social movements for the preservation of Nature, there is talk of ways of doing it with the aim of changing cultural habits strictly - so perhaps information has never before in history been so fundamental to the structure Social.

Thus, history begins to be written from the absolute domains of culture, where society itself finally has the autonomy to organize and build and deconstruct itself in conflicting relationships with itself, so one cannot be so optimistic in this new it was in relation to the era of when one was in confrontation with Nature for survival. It is just another and individual moment in history, of the confrontation of Culture with itself. (Not-so-optimistic example of transition of the ages: Rwanda Massacre between Hutus and Tutsis)

> [...] the beginning of a new era, the information age, marked by the autonomy of culture vis-à-vis the material bases of our existence. But this is not necessarily an encouraging moment because, finally alone in our human world, we will have to look in the mirror of historical reality. And maybe we don't like the reflected image. (CASTELLS, 1999:573).

In other alternative reflections on Capitalism and its impacts on society in the Information Age, in which the term Globalization is also addressed within a Marxist perspective, there is an interesting analysis that talks about the contradictions of Capitalism and directions, more strictly speaking about its moment of "crisis". (MESZÁROS, 2009)

CYBERCULTURE AND SOCIOTECHNICAL NETWORKS

The sociological project can no longer escape the technological nuances that influence the flows of human experience in the 20th century. XXI, as already seen in Castells (1999), therefore, the place to establish this project is "cyberspace", understood as:

> [...] social space created by the interconnection of different information and communication technologies (ICT). As a social space simultaneously constituted by the social networks that

establish local cultures within it and by the technical networks that make these connections possible, cyberspace is a convenient locus for reflection on the relationship between culture and technology. (GUIMARÃES JR et al, 2004: 132-133)

As already seen, "cyberspace exists, and is nothing more than a constituent of society," (MAXIMO, 2010: 29-46) And nothing more pertinent than a line of studies in anthropology to explain more precisely the methodological and theoretical nuances of how this space of networks is constituted in the Information Age that changes in an ephemeral way the structures of social dynamics.

To this end, the studies of the Tunisian sociologist Pierre Levy are willing to fulfill this function, to understand in a more complex and systematic way how networked cultures are organized, their theoretical and methodological limits, and to what extent relationships can be established. Power, Exchange, Social Exclusion, and Experience.

Cyberculture would then be defined as the culture that arises from a network of computers or intelligent technological devices capable of virtual communication. Within this modality of studies, several social phenomena have been identified, new forms of communication have also emerged, such as: social games, social media (through sensors of human activity video, image, audio) generally including issues related to identity, privacy and formation. of network. (LEVY, 2010).

When entering Cyberspace, a term that is inevitable to situate itself within the considerations on Cyberculture are sociotechnical networks. Which can also be interpreted as technical objects, in a context where technicity is man's own way of acting in the world (SIMONDON, 2007 in SILVA, 2016:12).

The sociotechnical network is one of the ways of developing a social network, it is referred to as a structure permeated by social relationships and a computer network, however, it is said:

> Sociotechnical network because it is not just a computer network or a cluster of people (Cebrián, 1999), but an interconnection of human beings – a social network – made possible by technologies. In it, everything happens in a peculiar way, including the relationships between people. Bruno Latour (1994) defines the structure of sociotechnical networks, in which the human being would be one more node in a non-linear structure, always open to new components. (in GUIMARÃES JR et al, 2004:68)

In other words, the internet in its capacity to enable and enhance relations between social communities based on technical objects (technology, computers, smarthphones) becomes a self-regulating socio-technical network, that is, it can also be read as a technical object, since its "connections and the technical and social nodes formed by it support it and, at the same time, are its reason for exist". Making the network autonomous as the very interaction between man and machine makes the object (technology) something naturalized through their interaction.

In this process, the scientific interdisciplinarity of the social issues of Cyberspace has taken on different purposes depending on the area of knowledge. Considering this interdisciplinarity through which technologies are conceived, developed and used, serving both commercial, advertising, administrative, security interests and affective and identity areas for the construction of political discourses and identities (Bruno, 2013, p. 8 in SILVA, 2016: 11) with this, the presence in the discourses of social actors involving technology has been increasingly perceived, even so it has been an area of little exploration of the Social Sciences. In particular, the unique way in which Anthropology should address itself would be not to investigate the material nature of technologies, but the ways in which they are used in each specific context of the discourses of social actors (GUIMARÃES JR et al, 2004).

A contemporary discussion in many, if not in every area of scientific knowledge, especially with regard to technology and society, we have as examples: engineering, medical and natural sciences, and human sciences following the contemporary developments of technology.

Example: Engineering companies that deal with the construction of "technical objects", which are implanted in human bodies from medical sciences, and are considered as part of the human body, that is, naturalized, becoming "natural objects". Because, "the more naturalization of the technical object, the greater is its synergistic dialogue with social groups.".

> The philosopher, when analyzing the conditions of the evolution of technique, emphasizes that the specific evolution of objects does not happen in an absolutely continuous or completely discontinuous way. It is always necessary to consider the synergistic dialogue between these two forms: for the abstract technical object, the plurality of scientific principles and notions. For the concrete technical object, the system of cause and effect, capable of self-preservation and self-regulation. This synergistic dialogue can take place in the object itself, but it actually takes place when it becomes present and common in societies, when it is assimilated to the natural object and, in particular, to the living being. The synergistic dialogue takes place in its maximum expression when the concrete technical object ceases to be something strange and becomes something natural at a given time, in a given society.

In other words, the greater the naturalization of the technical object, the greater its synergistic dialogue with social groups. (SIMONDON, 1989:22 in COUTO, 2007:6).

These are the reflections of philosopher Gilbert Simondon. On the one hand, the mechanization and electrification of the human; on the other, the humanization and subjectivation of the machine. Other areas of science such as Communication deal more with media issues, audience control, image manipulation techniques in a technical rather than a reflective and theoretical sense. More focused on practical use, as the Medical sciences also follow, with studies of human anatomy for implants in physical bodies, and their social consequences are more evaluated by the human sciences, in Anthropology, for example, Donna Haraway (1985) has talks about this anthropological relationship between the human body and its implants that make it a cyborg.

While in the human sciences there are discussions of how these technologies are impacting society as a whole in its most diverse spaces: economy (Anthropology of Consumption will understand this relationship of commercial exchanges and its symbolic consequences), public and private, politics and culture (with regard to indigenous territoriality, with political discourses that violate human rights with arguments about an Indian no longer being an Indian because he makes use of some technologies, for example). Cyberspace, especially with approaches in Philosophy and Social Anthropology.

All this interdisciplinarity of knowledge largely reflects the transposition of physical spaces of knowledge to the virtual environment, with reservations about how this is configured, interests must remain more or less the same in their means of action.

EPISTEMOLOGICAL RELATIONS BETWEEN "MAN" AND "OBJECT"

As already seen, information technologies are characterized not only by their technical aspect, but also by their cultural character, as they are conceived, used and resignified by a human network. Even so, the Social Sciences had a history of resistance to their study, and this relative indifference to the technological field is largely due to heated debates throughout the 20th century about the epistemological terms that would guide investigations into technology.

The distinction between man and object is seen today epistemologically as a stumbling block in the way of development advances in technology studies, and it is said that everything has its origins in the notion of "social impact of technologies".

> [...] which dominated the attention of the sociological field at least until the 1960s and which still plays an important role in the contemporary imagination. However, the early 1970s saw the emergence of Science and Technology Studies (STS), a critical reaction to analyzes of technology that did not consider historical, social and cultural factors. Since then, a rich debate has been established about the technological determinism that underlies the notion of impact, through what came to be called social constructivism (GUIMARÃES JR et al, 2004:132).

Thus, Anthropology in its epistemological project of study of virtual communities, even being heir to part of sociological thought, must consider the symbolic processes of this relationship between man and object, which is not a simple task since it dates back to the 19th century. XX with criticisms that proved to be rigid and not flexible to understand technology as something cultural, but rigidly restricted to a field of studies where there was a distinction in two fields on one side man and on the other technology in order to study what would be the "impacts" of technology on society, that is, it was not considered as objects of scientific investigation that could somehow coalesce.

The fluidity of the relations between culture and object, however, as far as Anthropology is concerned, can be clarified a little more in a way in Donna Haraway (2000), when she writes about a Marxist critique and gender relations for feminists in the middle of the century. XX and shows thoughts so far ahead of its time and interconnected with the Information Age that was to reveal itself decades later in an even more evident way about the relationship between machine and man and its almost obsolete distinction. (HARAWAY, 2000)

A recent ethnographic study showed that the complexity that exists between sociotechnical networks and human beings as phenomena to be analyzed in Cyberculture becomes obscure when a relationship of distinction between the parts is put as a research proposal.

Despite its epistemological merits, which have already been considered in this sense of scientific investigation, clarifying some issues, such as, for example, in Gilbert Simondon (1958) on "the mode of existence of technical objects" when he speaks of the relationship of "man" on the one hand and on the other the "technique" the machine, on the one hand, the mechanization and electrification of the human; on the other hand, the humanization and subjectivation of the machine, among other contributions in the scientific area.

Therefore, it is finally considered that the study of network culture is shown in a more pragmatic way from an epistemological perspective that does not make a rigid barrier of distinction between culture and technology, since they are confused and mixed in a different way. abrupt change in the cyberspace of relationships. (GUIMARÃES JR et al. 2004).

LABOR RELATIONS AND THE ELECTRONIC COMPANY

In the new Information Age, "capital is global" and "work is local" he explains through the concept already seen here of informaconalism, which would basically be a new historical mode of development, just as the modern age was based on industry, the information age is based on information and its technological development.

In this informationalist development process, the concentration and globalization of capital is done through the use of the "decentralizing power of networks", that is, the abrupt confusion that is made to distinguish who are the new "owners of the means of production, capitalist masters" and who are the new "working class".

In his last chapter of "The Network Society" he says that workers and capitalists receive a new order, go through a restructuring process due to this structural change that the capitalist mode passed from the industrial development mode to the informationalist development mode. , where in this...

> Workers lose their collective identity, they become increasingly individualized in terms of their abilities, working conditions, interests and projects. Distinguishing who are the owners, producers, administrators and employees is becoming increasingly difficult in a production system of variable

geometry, teamwork, networking, outsourcing and subcontracting. (CASTELLS, 1999:567-569).

It problematizes the relationship of time and space, since the instantaneous time of computerized networks is antagonistically organized in relation to the chronological time of the daily life of the forms of work of the modern era.

Another characteristic is the dependence on increasingly "accumulated generic" works and less on the specialized labor that was seen so much in Max Weber (1904), this time the groups that operate the "virtual palaces" are those software developers, designers of microchips (CASTELLS, 1999:567) and why not talk about the category that has been drawing the attention of electronic media and its influence on global networks? The digital influencers that we will see in the next subtitle of this work.

And who would be the capitalist masters in this other mode of capitalist development?

> [...] the capitalists themselves are randomly distributed, and the capitalist classes are restricted to the specific areas of the world where they thrive as appendages of a mighty whirlwind that manifests its will through spread points and futures option ratings in flashes. global computer screens.

In other words, the holders of the new modes of production are randomly scattered through the information networks. And in this sense, the investigation of labor exploitation becomes embarrassing if it occurs due to the lack of institutions that regulate this process, in this sense, once again, the investigative role of the Social Sciences in this technological field of social relations becomes so central.

Companies also go through a structurally differentiated process and not only work has its morphology genetically altered. In addition to being now organized in socio-technical information networks, both in the bureaucratic part (organization, distribution, management and production) as well as in personal relationships, there is also talk of the precarious forms that work can take, among many other issues. deeper than this work cannot take more time. Therefore, attention is only paid to more general questions to understand the object of this study. See if the company in terms of its "culture, institutions and organizations of the informational economy" more specifically from chapter 3 of "Network Society" (CASTELLS,1999:209-259).

When we talk about the transition from the industrial capitalist development mode to the informational one, we also talk about the transition from Factory Work to the new configuration of Network Work.

In this context, the centrality is of the company different from the modern era where the factory was the fundamental institution in the production of goods and consequently the protagonist of labor relations. Now the company conceives the innovation, research, development, communication, marketing and design of the goods, without, however, causing the disappearance of the factory, however, it now subordinates its role to the company, and even so they can come together as in the examples of business groups (LAZZARATO, 2006).

> If in solid Modernity the factory was the dominant model —
> and the company's 190 activities were subordinate to it —, today the opposite occurs. The modern production-sales flow,
> in the current logic, is inverted and becomes sale-production
> (BAUMAN, 2007: 99 in SARAIVA et al., 2009:189-190).

In other words, in the words of Bauman (2007) in the theory of liquid modernity, the cycle is reversed first if you sell and then the goods are produced. Also having unfoldings in the place of the space that each one occupies:

> The factory, as a paradigmatic institution of the capitalist economy, is situated on the side of solid Modernity. It belongs to an economy based on machines and buildings, with a strong spatial presence. The company is on the side of liquid Modernity: heavy thermodynamic machines give way to elegant digital equipment, arranged in commercial sets that are more impressive for their imposing architecture — "but decidedly not welcoming, [...]", than by dimensions. While the factory maintained a strong bond with the locality where it was located, mainly due to its strong dependence on the workers who lived there, the company seemed to float in cyberspace, having only a fragile anchorage in a point of material space. (BAUMAN, 2007: 99 in SARAIVA et al., 2009:189-190).

The category of virtual workers, if they can be called that, Digital Influencers – next subtitle – can be a didactic example of this company and factory relationship.

It can also be interpreted in other measures "as a result of the 14 processes that occur in the current world" when there is a tendency of people working and managing services in the electronic business business, the "electronic company", of the technical essence of the network connection, however, interactive human relationships between "producers, consumers and service providers" (CASTELLS, 2003).

In this division of the constituent forces of work and company, we will see to what extent digital influencers configure this power as work and company to be investigated by social scientists.

DIGITAL INFLUENCERS

The digital influencers are read by the researcher as a potentiality of investigation of the questions of work relations and electronic company, within the process of informationalist development mode of the capitalist system, which can be evaluated from the anthropological research paradigms of ethnography in cyberenvironments in a network culture perspective – Cyberculture – without the intervention of theoretical currents that rigidly separate the research objects "man" and "technology".

Theoretically placing man and technology in a system where the media exerts a greater role of influence than in the modern era, with socio-technical information networks and their relationship now more than ever linked to semiotics and image, but also to written, encrypted, and even in sensory forms like audio.

In any case, the media is part of this new system of organization of human Experience – as an interaction between the biological and cultural identities of these subjects in relation to their social and natural environments (CASTELLS, 1999:51) – as part of this it is more than a object that transmits ideology, through sociotechnical networks. It is also an "instrument for directing or creating subjectivities in man" or rather, it would be a concept of "media bios" that Sodré (2009) would call these subjectivities that arise or are shaped and become dependent, thirsty for information and technology" increasingly.

In more didactic terms, the classic media was situated around television where reality was read according to our previously acquired cultural knowledge, which changes with the problematic relationship that technology can bring as cultural potential. Now, technology networks are responsible for almost all knowledge culturally acquired in network socialization, which are constituted by social rules arising from consumption and from the more general informational technological scenario, and that is how we live. (SODRÉ, 2009)

According to Sodré (2009) digital influencers are constituents of media bios, as an object that transmits ideology through socio-technical information networks, directing and creating subjectivities. However, a critique of this idea of "direction and creation of subjectivities" is inserted here, since they do not direct or create, they are more for proponents of new meanings or reaffirmers of already known meanings. The receiver is not passive. They provide elements for the receiver but do not determine or create desires in him. Thus, there is an interaction relationship.

So, justifying their relationship with companies and consumption, it can be said that digital influencers are increasingly being sought after by companies to promote their goods. A recent survey also confirms that "92% of users trust recommendations from other people - even those they don't know - more than advertising content from the brand itself", with all the reservations that may exist regarding the problematization of this relationship, since the sometimes there is still a relationship of conflict between consumers, brands and those influencers who circumvent the Council's rules of Advertising Self-Regulation (Conar) as in the case of Thássia Naves, one of the biggest Brazilian digital influencers.

With their potential to engage the public, these professionals have responsibilities other studies point out that "23% of parents trust online influencers more for decision making".

Regardless of the credibility of the research, it is already a reality to communicate with the young audience and to see how the actresses of the TV media, soap operas, reality, for example, are losing space in the discourses of consumers, especially women, who are the target audience. of research for this work. (PEN-NACCHIA, 2016).

Therefore, it is important to understand the concept of digital influencer, as it is constituted and contributes to the constitution of social identities in a network, and that these can be to a large extent interconnected with consumption experiences or even social identities, that is, once again it emphatically becomes a scientific research option for contemporary social scientists.

The concept of digital influencer resides in what refers to people who stand out in socio-technical networks and have the ability to attract, gather and mobilize a large number of followers (public). These guide your opinion, lifestyles, experiences, and personal preferences, often becoming more specific on a few subjects depending on your audience. For example, they can talk about books, makeup, cosmetics, music, free courses, fashion, social criticism, technology, even content restricted to entertainment such as music videos and humor.

Generally, the origin of digital influencers comes from a term widely used by this type of network culture, which would be to "go viral" to characterize content that had a lot of access, credibility or notoriety on the large internet network and that, therefore, the protagonists perceive relevance and then start to produce more content in this sense.

Due to the excess of information in the network, companies prefer to invest in what is called Influencer Marketing, or Influencer Marketing in free translation, while "the way in which companies reward celebrities and social media stars to create content in favor of brands, generating endorsement – and thus influencing people" (VIEIRA, 2016) to refer to these influencers of consumer opinion according to their content production niches.

One of the most common types of digital influencers are YouTubers, characters who are dedicated to creating and manipulating content on the YouTube platform for social video sharing (SILVA, 2016: 5-6) that to a large extent can be "monetized" and monetized by having a original content without third party copyrights. And it is seen as a profession generating great income, one of the biggest successful cases being the youtuber Felix Arvid Ulf Kjellberg from the PiwDiePie channel with more than 50 million subscribers until 2016 and his fortune was speculated at approximately 12 million dollars a year, around BRL 45.5 million at the current price.

These professionals are usually not restricted to a socio-technical network of interaction most of the time, for example: Snapchat, Facebook (Fan Pages), Instagram, Youtube and etc. However, they represent greater expression in statistical terms in number of followers, usually in one, or even two of them, and at most three, although they always have all of them interconnected to cover a larger audience.

There are several types of influencers that differ according to the content produced: The celebrity has a larger than average audience. Authority has strong opinion. The connector makes points and creates links; A personal brand is one whose name is a kind of brand, also known as brands; The analyst formulates and communicates credible ideas; The activist would be more involved with mobilizations; The expert specialized in an area;

The respected and heavily involved insider; The disruptive promotes debates; The journalist is committed to the dissemination of information or news. (WIKIPEDIA 21 July 2017).

Momentary celebrity websites can also be confused with digital influencers, but they are different in functional order, since influencers remain in the media and produce content and a greater degree of interaction with their organic followers, as they depend on this relationship for evaluate its contents and know the direction of the next productions. While celebrity websites flow into their social activity programs such as: singers, artists, athletes and so on. who can use socio-technical networks only as a tool for support and relatively direct contact with the public, but they do not dedicate themselves to this network as their only means of subsistence.

Regarding the contents found on the network, the niches of subjects focused on: Games, Life Fitness, Cooking, Journalism, Entertainment of the type of humor, general knowledge, Sports and finally the contents on Fashion and Beauty with emphasis on "fashion , beauty and style" with technical aesthetics as one of the guides for searching for content on the web, for example, learning to apply makeup, criticism of techniques and cosmetics, etc.

The most important digital influencers by number of followers and accesses from Brazil and the world are: PewDiePie - Felix Arvid Ulf Kjellberg on Swedish YouTube games represents 49 million subscribers on his channel; The Blond Salad a fashion blog created by Italian Chiara Ferragni, who is currently considered the most influential fashion blogger in the world (WIKIPEDIA 21 July 2017). With 5 million followers on Instagram and 1.2 million fans on Facebook. Gabriela Pugliesi is a 30-year-old Brazilian blogger who addresses issues in the fitness world, and currently has 2.9 million followers on Instagram. From the humor category, preferred by young Brazilians Whindersson Nunes, holder of the biggest Youtube channel in Brazil with around 12 million followers and also gives lectures, artistic appearances. And finally the Manual do mundo - YouTube channel of educational entertainment that show experiences and curiosities. Created by Iberê Thenório and Mariana Fulfaro. It has 7 million subscribers and over a billion views. The category has been so relevant to the media that in 2016 CECOM - Centro de Estudos da Comunicação organized an award with 17 categories to recognize digital influencers, choosing candidates through Facebook Audience Insights and Google Adwords. (WIKIPEDIA 21 July 2017).

As it is generally perceived, these influencers usually use the main sociotechnical networks: Youtube and Instagram, and from the researcher's experience with the object, it can be said that these sociotechnical networks undergo a process of aestheticization, in order to become more sympathetic to the content consuming public. . It's basically a branded company that influencers use, often with fancy names or their own names. In any case, these electronic companies set up a working relationship that most often involves other professionals, such as: for the production of graphic arts for the videos and presentation covers of the Youtube channel or fan Page on facebook, they can request a professional in the area of advertising or marketing to be cooperating with this media image production. But there are other examples, which can be presented in the ethnography of this work. But the central issue is that this work process configures the Labor "disaggregated in performance" and "reintegrated in the result" mentioned by Castells (1999), configuring a multiplicity of interconnected tasks in different locations (virtual spaces). He calls a new division of labor centered on the capabilities of each worker rather than on the organization of tasks as it would be in the modern era of the industrialist development mode of the capitalist system. (CASTELLS, 1999: 567).

Finally, in this chapter of Technology and Society, it is considered that Cyberculture and socio-technical information networks are fundamental to think about the Information Age as an informationalist development mode of the capitalist system, where the molds of production, power, and experience relations (social identities) can be studied by the Social Sciences in a more pragmatic way, considering an epistemology that does not separate "man" and "object", understood as technology, while also considering that the perspective that separated "culture" from " technology" also pointed to considerations that were largely important in the 20th century in Sociology to think about the "impacts", if one can speak, of technologies on society.

And even though labor relations from the concept of electronic company are part of a new total structural social configuration which shapes labor relations as more embarrassing in the sense of defining the working classes and the holders of capital, means of production that were identified more clearly in the modern era. And this relationship can be best illustrated by the contemporary profession which has been described as a Digital Influencer. These appear in a descriptive analysis with a theoretical background built to think as an alternative object of scientific investigation of the Social Sciences, having as a starting point as a suggestion the criticism around their credibility in the virtual space as a media bios; while an object that through sociotechnical information networks can be transmitting to Cyberspace the interactions that already exist in the real world.

Because, "currently about 80% of online traffic is linked to some type of influencer" where the Internet plays a role that for much of the 20th century was television, as the main means of mass communication:

> [...] according to a survey carried out by IMS Internet Media Services, about 82% of Brazilians consume videos on demand and 73% watch open TV and even those who watch television watch for less time than Internet users. (SILVA, 2016:8).

The increase in the audience of digital influencers has made brands and companies increasingly seek him out than other media such as television. However, sometimes the dissemination of information can be considered false or from dubious sources, and with the lack of verification of credibility, users of these contents in socio-technical information networks are vulnerable to mass content without reliability of information. Not to mention the etiologically prepared content for consumption that is not sometimes have legislation that controls their manipulation and veracity to the public.

Therefore, the presence of Social Sciences in Cyberspace is necessary to investigate exchange relations, consumption, ideology, gender, identities, as well as production, experience and power as already announced.

CHAPTER 2

ETHNOGRAPHY IN CYBERENVIRONMENTS

About the object-researcher relationship and the reasons that influenced the choice of the object and its justification, the following brief report is available: The author of this work, as a researcher, has been willing to human experiences and experimentation in Cyberspace since 2007. More specifically, the sociotechnical networks that take care of the image as preponderant in virtual life and its influences, just under 5 years ago in 2012 when he entered this university and the need to work in the urban environment emerged to develop livelihood to continue studies in the capital. Since then, social networks have undergone transformations, and their growth and adherence by a significant number of consumer bodies led the researcher to invest in the network image to create content, in order to meet the new demands of the services market, for example: As a professional makeup artist, it was not enough to have just one course or practices in the area, commercial exchange relationships only took place when virtual content was presented to the final consumer, which is called a portfolio. Portfolios are usually displayed on the main platforms: Intagran and Facebook, and can also serve as support for YouTube, Sites and Blogs.

In this period of experiences, a little of the themes that the Social Sciences brought within the context of Cyberspace was experienced, however, there was a perception throughout almost the entire graduation period (average of 4 years) the absence of lines of research focused only on the Cyberspace and its social contributions in the world, only in the last one that contact was made with the researcher Professor Dr. With the Social Sciences undergraduate area, in order to promote studies on the influences of these objects on the various topics addressed and reviewed in Anthropology and Sociology specifically.

However, to carry out systematic investigations of the object and its context, a period of one semester of oriented studies with scientific bibliographic support was necessary for the investigative contribution, together with experiments of virtual life in the researcher's sociotechnical networks, which is justified in the studies of the Canadian Robert Kozinets (2007) pioneer in the netnographic method. "The researcher, dressed as a netnographer, becomes a field experimenter, engaged in the use of the researched object while researching it" (KOZINETS, 2007).

However, here we criticize thoughts such as those of Kozinets (2007), because the insufficiency of authors from other areas of knowledge such as administration and technology areas that can use terms such as: virtual ethnography, netnography, digital ethnography, etc. . may fall into the redundancy of studying social groups permeated by computers, however the difference it makes between ethnography itself in Anthropology is the method. The concept of studying groups in virtual environments in Anthropology is much denser, consisting of systematic work with field diaries, establishing relationships, selecting informants, transcribing texts, mapping fields, and so on. (GEERTZ, 1978:15) this is the fundamental difference. There is no "new" method, there is a methodology within Anthropology that has been developed for centuries and that will be applied to another space of human experience, which is the Cyberenvironment, and which cannot be reduced to an immediate analysis of the administration or marketing that takes into account statistical data for the most part, as this is insufficient from a theoretical point of view to analyze interactions between social groups, an example is Norbert Elias (1965) when writing about the configurational analysis of the "Established and the Outsiders" to mark the insufficiency of statistical analyzes to describe social phenomena.

On the central objective of this analysis, it is highlighted to create an agenda of contents of sociotechnical networks that could serve as objects of study for researchers in the area of Social Sciences, for the epistemological development of the new performances of ethnographic network work, with the anthropological perspective as a central point. , where man as an object of study of the same precedes the relationship between machine and object, so that it can be ascertained to what extent the relations between them occur in the next studies of Cyberculture.

The justification for that would be the need, as already mentioned, of the introduction of the human sciences in this area of studies that is increasingly part of the human experience, modifying its relations of Power and Production, inserted in a larger arena of the capitalist system that is undergoing a change structural in the Information Age with its own characteristics arising from the informationalist development mode.

As specific objectives, at least two were separated: to suggest social actors that can serve as an object of study for future advances in this line of research, showing some of the elective categories in Social Sciences present in the discourses of these political actors in the network. Because "many objects of study are located in cyberspace" (ROCHA et al., 2005: 01) and it is believed that these social actors and their discourses can serve as a research apparatus for social scientists of this Information Age in a way that of informationalist development of the capitalist system.

And the second specific objective is justified in the object of central analysis of this study: Makeup as a technical object of instrumental use of Social Sciences with regard to its quantitative and qualitative contents that can be used as a source of research given the importance of this object to think about gender relations, aesthetic political discourse in a network, consumer relations in the anthropological perspective, potentialities of the body as a technique, the body as a social marker as a prosthesis of the human (cyborg), and discussion of social ethnic relations. In other words, it is proposed as a second specific objective to also promote this research agenda to serve as a direction for ethnographic research in sociotechnical networks, and to suggest some interpretations that serve as a basis for the next social scientists for constructive or deconstructive criticism, in any case, that serve as a battery, load on material to be processed as a scientific object for involving so much of the recent social actions of the informationalist era.

Finally, that the diversity of political-visual discourses in sociotechnical networks that make an instrumental use of makeup, can be evaluated by the screening of discourse relations as rich themes in discussion of the Social Sciences.

The methodology used was virtual ethnography. However, the anthropological perspective will be addressed in this work, since in communication and administration the term is reduced to or cyber-ethnography (WARD, 1999) and also digital ethnography (NOVELI, 2010), to refer to Web-based or web-based research. Web-based research (MKONO, 2011) and also netnography. And there is a whole debate about, for example:

The term netnography was used for the first time in 1995 as a result of a simple agglutination of the terms (nethnography + net) netnography and net in free translation. However, because it is a neologism "in the reflection of the main scholars of network communication, research practices and methodologies are poorly explained and discussed" (SÁ, 2002, p. 155). Perhaps for this reason, management and marketing reserve the term while in anthropology and social sciences the most common use is "virtual ethnography" (AMARAL; NATAL; VIANA, 2008: 34).

However, in the anthropological tradition with method is the supreme good, for Geertz, ethnography is "less a set of techniques and procedures" and more effectively a "thick description" of a given culture:

> [...] to practice ethnography is to establish relationships, select informants, transcribe texts, survey genealogies, map fields, keep a diary, and so on. But it is not these things, the techniques and the determined processes, that define the enterprise. What defines it is the kind of intellectual effort it represents: an elaborate risk for "thick description", borrowing a notion from Gilbert Ryle. (GEERTZ, 1978:15).

Therefore, the term ethnography in Ciberambiente is included in this analysis, understood as a "dense description" of the sociocultural aspects permeated by sociotechnical networks, involving several qualitative aspects such as: selection of informants who would be digital influencers here, transcription of texts that in this work are this function is somewhat absent to the detriment of time, field mapping while dealing with the description that will be made on the aspects of cyberspace and the specificities that will be analyzed in this process from the researcher's familiarity with its object, and in this work it will also be absent an ultra-systematic field diary, which we intend to develop in future scientific works, reserving for this only a bibliographic and conceptual review about the object of study makeup and its context that can also be an object for future research: cyberspace.

In any case, the speed at which social networks evolve makes it more challenging to follow them with the same methods and system of scientific tools. Although the areas of knowledge have shifted their theoretical and methodological apparatus among themselves for the investigation of communities in virtual networks, this use is constantly updated at a speed that was no longer done in the ethnic groups of classical anthropology, especially in what concerns refers to time and space. An example is the instrument commonly used in the communication of "quantitative and statistical analyzes (webmetrics, number of links, etc.), Discourse Analysis (AD), Content Analysis (CA), and Social Network Analysis". This one The last study was concluded to talk about social networks referencing the extinct social network Orkut (RECUERO, 2006) less than three years later a study appears about another supposed "social network", which has completely different characteristics from the last updates of the concept of social network, which was about the company Youtube (BURGESS and GREEN, 2009:6) which in turn has been considered as a social network for its functional use, while in concept it is a simple platform for sharing videos, even if there is constant interaction between its users. And there are still websites, and other online spaces that in concept are not social networks, and that, however, present this proposal of interaction in other ways.

As part of the cyberspace research field, descriptive postures were adopted so that the researcher could clarify the ethnographic space in the anthropological tradition, briefly describing some of the main symbols and their specific languages of each group, as a qualitative sample approach (FRAGOSO et al.. 2015:68 In SILVA, 2016:20).

Data collection took place from posts that digital influencers posted on their sociotechnical networks as media bios that the researcher selected from her Network Experience as a Social Scientist and Professional Makeup Artist - to describe the researcher-object relationship. Therefore, the most relevant media bios were chosen according to the quantitative evaluation criterion in terms of the number of followers in sociotechnical networks, and qualitative evaluation, that is, digital influencers that met the two specific objectives of virtual ethnography, which are: social actors in networks sociotechnics who share discourses that are addressed in Social Sciences, and digital influencers, media bios that have discourses that can also be evaluated by the social sciences, more specifically within the makeup object, taking into account the themes of analysis and discussion about ethnicity , gender, and consumption to find out to what extent the body is used as a political social marker.

These groups of digital influencers were analyzed indefinitely, as they are part of the researcher's experience, but more specifically for more than one semester and less than five years.

DESCRIPTIONS OF CYBERSPACE

About the description of Cyberspace, here is reserved a brief analysis of the internet and justification of its study for the Social Sciences, especially Anthropology and later a very brief description of the minimum aspects to understand how some interfaces of the sociotechnical networks work that will be addressed in the ethnographic description of social actors as media bios.

In view of the ever-increasing range of information that contemporary societies have been exchanging, other technologies have emerged in order to give vent to this rising demand and its possibilities.

In this context of acceleration in human processes that the internet is inserted. Especially in the second half of the 20th century, as a "material base of information flows recreating the forms of social, economic, political, symbolic and interactional organization."

> The technological discoveries that occurred mainly in the 60s and 70s in the United States made possible a true information revolution. Such discoveries, such as the microprocessor, advances in telecommunications, the growing market for microcomputers that stimulated the production of new software, the networking of computers enabling the world wide web (WWW), were crucial to reshaping the material base of society. (CASTELLS, 2011 in SILVA, 2016:27).

It is even considered decisive in some of the ways of thinking, acting and feeling with regard to the formation of identities, creation of subjectivities and with that other business models, and consumer relations.

From this other way of thinking about consumer demands, new professions arise due to the reorganization of social work, such as YouTubers and digital influencers in a broader sense, as already seen, who are content-producing identities on the YouTube platform. of video sharing. (SILVA, 2016:8)

> With information and communication technologies and socialization spaces on the internet, social networks, new ways of interacting with the world are emerging. The intense flows of information shape the lives of individuals and are present

in their daily lives. Studying the processes that occur in the virtual environment every day become more crucial to understand the current world we live in. (SILVA, 2016:12)

According to Simondon in "The mode of existence of Technical Objects" (2007 in SILVA, 2016:12) "a technical object that was created by humans requires maintenance to guarantee its existence", therefore, YouTube goes beyond this platform.

Of sharing video content and social interaction, is also understood as a technical object of man, as well as other networks with their own language codes and interfaces, which co-exist and complement each other in content such as: Intagran, Facebook, Sites and Blogs configuring a panorama of virtual social relationships where different business models and consumption formats can be found.

Therefore, Cyberspace exists, and is nothing more than a constituent of society, (MÁXIMO, 2010 in SILVA, 2016:28) in this way, its symbols, borders with the real must be investigated by contemporary social scientists as a methodological challenge, opening space for dialogue of this other space of investments of human life, which places us in relation to otherness.

The description of the main sociotechnical objects used by the social actors to be analyzed in the next subtitle will be made by punctuating some observations that were made about them also to assess their not only instrumental, but also qualitative character. In order to meet the criteria of social network research that requires the researcher to understand and master the languages and codes of the social group being studied, as well as translate its symbolic universe into systematic terms of science. Therefore, the description of interfaces is necessary, as a technical object that has "aesthetic questions that deal with the perception of individuals" (SILVA, 2016:15).

Youtube: the technical description of the interfaces of this sociotechnical network is perhaps not so unprecedented in virtual ethnography, not to mention that it is already part of the cultural apparatus present in the daily discourses of the most varied ways of existing due to the multiplicity of subjects that are interconnected. Therefore, attention is paid to the more qualitative character in a less technical sense and more in negotiations between human beings that the network offers.

As seen, Youtube is an extensive network of content in videos that aggregates various types of collective knowledge (SILVA, 2016: 8-9), each area with its dynamics of interaction with the public and therefore the peculiarity of this network is verified.

The peculiar qualitative character of Youtube has been to a large extent its ability to interact as a potential as an "investigative field", the diversity of its networked communities that negotiate power relations, identities and, to a large extent, work confirm that this technical object (SIMONDON, 1958) constitutes simultaneous social spaces that establish cultures internally through technical networks (internet) that promote this connection (GUIMARÃES JR et al, 2010: 49 in SILVA, 2016: 15). This happens in the processes of resignification, adaptation and transformation that users trade on the network, the effects are both social and technological. (_____, 2010:50 in _____, 2016:15).

Technical aspect noted in the ethnographic field and which is the responsibility of the researcher and that Youtube draws more attention from users as it is a content production challenge due to economic incentives.

For example, in this period, browsing the net, it can be noticed that some channels manage to increase their relative cost of views, for example: the dynamics happens as follows, when you link your Youtube account to "Adsenses", a system that counts from Monetary form its contents on the network through the prior permission of the user to use online advertising from its contents that do not have copyrights of other producers, it starts to monetize its channel, that is, to generate income. This income and relative works with the CPM category (which means Cost per Thousand Views), and as a stock exchange, the value can change at any time due to several variables that we have not yet been able to ascertain in this brief work.

Facebook: To a large extent replicates some very specific results from YouTube, because it also makes use of messaging between users, it has the dimension of sharing photos where it is possible to tag users to encourage viewing, and it also has videos, but due to the economic nature of Youtube in order to encourage its content creators to monetize the channel, as already seen, makes it the most specified factor of it, that is, a simple and strong focus on the measure of reach, not to mention that videos go viral on the network more easily than photos and texts, as it deals more attractively with visual perceptions.

Intagran: Intagran is basically a socio-technical network focused on images, most of them deal a lot with their aesthetic perception, so much so that there are already criticisms regarding their use. Where accusations are made that it had the effect of causing "Anxiety, insomnia and rejection of one's own.

Image" on some of its users. This reflects its ideological character, often encouraged by consumption. And, above all in what has already been discussed in the bibliographic review, instagram would to a large extent be considered a vector of the "beauty myth" (WOLF, 1990) as well as a pandemic spread by a vector mosquito, thus would this sociotechnical network be spreading the virus of the "Beauty Myth" that makes women vulnerable to sociopolitical ascension in society, undermining their roles of authority and power in contrast with standard stereotypes that are also spoken of as the dictatorship of beauty, mainly because the network has 700 million users and reaches mainly the young audience. (SEASON BUSINESS ONLINE accessed on 22 July 2017)

Of the questions asked to the 1,500 people between the ages of 14 and 24 related to "feelings like belonging to a group, anxiety, sense of identity, sleep and body image. The idea was to find out how respondents felt in front of different platforms on the web — Instagram, Facebook, Snapchat, YouTube and Twitter" only Youtube responded with more optimistic statistics regarding the psychological well-being of users, which is a beautiful example that JoutJout is a Brazilian YouTube channel that talks about social issues of self-image, acceptance and gender, defends women in a very good mood, and discusses "abusive relationships" which was one of the most viral videos on the net about Is it over there. The British institute RSPH (Royal Society for Public Health) that carried out the research points out some possible alternatives to reverse the bad statistics that some of the networks (ÉPOCA NEGÓCIOS ONLINE access 22 July 2017).

Sites, Blogs and E-commerces: These are difficult to map the specificity because all of these rely on the socio-technical networks mentioned above: facebook, Youtube and Intagran to maintain their organic flow (user browsing). Sites usually gather written content, which may or may not be interconnected with other hypertexts, and each site will love a different interface because, unlike the socio-technical networks mentioned above, which have standard interfaces, the sites are highly customizable. In short, sites are spaces, information sites.

The characteristic that differentiates Blogs and E-commerces is that blogs are understood as sites that have very personal interpretations about a specific subject and to a large extent have a dynamic or organicity of information, that is, they have constant posts, have movements constant, while a website can exist and have fixed content only for information, but without daily or constant maintenance. While e-commerces can be within organic or fixed sites, or be a site in itself, for example, Ali Express is an oriental site that is a world leader in online commercial exchanges in the world.

Tags: they can sometimes be described as an online connectivity standard, for example, when posting on blogs or websites, keywords are placed in an area so that users who put these words in the search provider, search engine (Google , Mozilla Firfox, Internet Explorer, etc) will show results that contain those words. It is a specific communication factor within networks. This is just one of the examples of Tags. But the term is also used more specifically on YouTube when content producers use a word or phrase as a common subject, or theme to make videos talking about.

Of their specificities in the subjects, the biggest example is the tag "50 facts about me" and "Received" to talk about fashion and beauty products that companies send the producers of relevant content on the subject to write reviews about the use, being able or not being sponsored is still difficult to control in this aspect.

JUSTIFICATIONS FOR CHOOSING INFLUENCERS

As information and communication basically circulate through the diversified but comprehensive media system, the practice of politics is growing in the media space. Leadership is personalized, and image building is power generation. Not that all politics can be reduced to media effects or that values and interests are indifferent to political outcomes. But whatever the political actors and their preferences, they exist in the power game played through and by the media, in the various and increasingly diverse media systems that include computer-mediated communication networks (CASTELLS, 1999: 571). -572).

As already described, the "diversified media system", which are the sociotechnical networks used by social actors, or rather, "personalized leaderships" / political actors spread over an extensive network of virtual information probed by political interests in the "game for power" that necessarily passes through the media; Now, therefore, one can also speak of socio-historical figures of the internet, understood within the context of "spaces of knowledge" or collective knowledge that starts from the perspective that the internet is a space where deterritorialized knowledge where these socio-historical figures they can exercise their personalities and be shaped by the interaction to which they are subjected, constituting themselves in this context of information without territories (LÉVY, 1994 in SILVA, 2016:13).

In this sense, a selection was made of what can be understood by socio-historical figures or political actors, or even media bios divided into two groups:

The first group concerns political actors who perceive themselves as political discourses in sociotechnical networks and who influence a large number of followers, involving important topics in the social sciences, have proved to be a fertile field of research in cyberculture and sociology using this method of virtual ethnography. : Jout Jout, Gregorio Duvivier, and Camila Achutti.

The second group is also related to a large extent to this protagonism in the network (political actors), however, they are inserted in more specific themes, focused on the Makeup object as an object of research in Social Sciences of investigation that is still itinerant. This second group is composed by mostly women and approach the fashion and beauty category as we have already seen in the description of the types of digital influencers, these however, always use the makeup object as a social marker of the body as a political discourse of power and potential aesthetics, however this use is made under their perspectives of the denial of biological characteristics and the reaffirmation of them as a political discourse in bodies.

GROUP 1: POLITICS, BODY, AND GENDER

Gregório Duvivier: This Brazilian actor, comedian, screenwriter and writer moves between the categories of digital influencer and web celebrity, as we have already seen their specificity. The first contact of the researched with the same was through one of the largest channels of Brazilian Youtube in the category of humor, they talked about topics such as: humor, religion, behavior and gender relations and always work with satires and jokes with a current performance that was attracting young millennials different from the humor of the end of the last century where there were Brazilian characters such as: Os trapalhões, Chico Anísio with Professor Raimundo's School, this category is now sometimes understood as Stand up, but its specificity is not the focus here, so let's not pay attention to it.

He currently works for the HBO Brasil channel with a unique program of his own, because, after his repercussion on the web talking about Brazilian political issues, he was invited by the channel to speak with a humorous approach to Brazilian politics, this habitus of his is a little itinerant and it is placed at a substantive moment for the Brazilian political reality where it is in general, I mean the mass, the great public more connected to the media (and its performance change TV now Internet in the information age, more than ever, and especially on YouTube socially speaking for the specificity) than books for example. And in the context in which we talk about Labor Reforms, Corruption Cases which leads to political crisis, Meat, Energy, and Taxes among other topics always of public interest that form social opinion.

Its importance also as an object of political and social investigation, which comprises one of the suggestive elements of the social sciences agenda, lies in the fact that the subjects addressed, even though this program is recent, the "Greg News" has a connection with sociotechnical networks, that is, the content is not restricted to the private TV channel, but is also available on Youtube and facebook fan page.

Jout Jout: Hardly anyone knows journalist Julia Tolezano by that name, the great "jou jout family" as she always emphatically salutes her channel followers for little else of 1 million members, and they always come back with comments and share the lived social dramas that she vehemently reads and treats as subjects for the videos with an original sense of humor, almost never wears makeup and talks about women's roles, about health (with the participation of Dráuzio Varella, also a digital influencer) and mainly talks about sex in a very fun and responsible way that helps young people to go through life's dramas as interpreted by the comments that are posted in the videos.

The researcher's contact with this youtuber took place when she was not yet a big celebrity on Youtube around 2014 with the foundation of her channel, that is, when she still didn't have the gold plate (1 million subscribers - other categories were 100 thousand subscribers silver plate and diamond plate for 10 million subscribers). At the time, the researcher got involved with her research object through the suggestion of humor videos through the platform itself.

Jout jout's channel is part of Cyberspace with a suggestive agenda for ethnographic studies with the theme of gender, relationship with the body, sexuality, and above all women, her best performance that was where she began to acquire notoriety on youtube was in 2015 with the video that went viral on the networks sharing the criticism about "Don't take off the red lipstick" where she talks about abusive relationships.

And within the perspective of the image of women and their role in society Jout Jout has been a very relevant social actor, as it influences opinion and militates towards the empowerment of women as a standard of beauty and strong identity that guides the habitus becoming a personality reference for women's militancy in society in the search for equality roles.

> The body is what can be interpreted as a vehicle for accessing and integrating the subject with the world. It is he, therefore, who personifies and makes the presence of himself with the world and who establishes a meaning with the other. The "other" itself can be referred to as a subject "outside" the "I", as

an unfolding of the "I" itself. This unfolding can then be understood as the search for self-awareness, the understanding of the self and self-knowledge: of "looking inside oneself", and seeing the image that the body forms in the eyes of the world and society. It is now time to question, to propose enigmas, to make us think and dismantle the gaze saturated by the reproduction of images. Dress for the eye. (MACLUHAN, 1997 in CARON, 2014:2).

Marshal McLuhan (1997) on the media reflects on the power of the image that the media can place on the perceptions of one's own body, in his words "looking inside oneself" and questioning oneself about the constant blows of references of bodies found in the media of socio-technical networks, Jout Jout is the reference of alternative media bios on Youtube to the standard of the "myth of beauty" and the manipulation of bodies by the media that attacks bodies in the world.

Jout Jout is a potential representation of Brazilian women as a standard of "sustainable beauty" (CARON) concept, since within the concept of female beauty, "it shows an atypical measure based on what can be called sustainable beauty. When "being beautiful" ceases to be the pursuit of the standard, to become feeling beautiful, accepting oneself, knowing the characteristics of one's own body, having an identity and personality and continuously seeking health and well-being. " as seen previously in the interdisciplinary literature review on makeup.

Camila Achutti: We have already seen your contribution that illustrated the times that was said by Castells (1999) about the economic and labor displacements of women as technology was seen as an economic potential and influencer in the world as the industry was for the modern era and now it is information for the informationalist development mode.

The Social Sciences is a potential object insofar as it has several projects on its website and socio-technical networks where it always links information about the insertion of women in computing.

The researcher recalls the memory once that a news item was linked on Camila's fan page in which she talked about an application developed for women from Islamic countries who suffered from rape attacks and the application helped in this sense to monitor bus schedules. so that these women are no longer at risk, this is just one example.

As already stated above:

> [...] gender shifts in Brazil is in the memories of the young activist Camila Achutti, who joined USP (University of São Paulo) in 2010 and faced the reality of being the only female in a class of 50 students of the computer science course questioned themselves about their space, and since then they have been fighting for gender equality in computing through blogs and social projects (among them the creation of to help women in conditions of social vulnerability).

> In a conversation with a mother who was not motivated to continue in the course, she found a photo of the first class of the course in 1971, where 70% of the students were female. After a survey, Camila interprets that at the time the use of the microcomputer was limited to the administrative use of some universities and offices by secretaries, a profession not consolidated without being central to the family budget. What changed from the 80's with millionaire injections in the Information Age business market. (CAMILA, 2015:1)

This memory reinforces the importance nowadays in the Social Sciences of inserting technology in debates about gender, spaces of occupation of women in public and private life, especially in decision-making and power relations - other aspects of social life interested in Social Sciences will be further investigated in the virtual ethnography of this work.

Another interesting channel, but one that doesn't have much information in the sense of the researcher's property to talk about is the channel "A gorda e o gay" that deals with issues of gender, sexuality, behavior, identity, and relationship with the body.

GROUP 2: AFFIRMATION OR DENIAL MAKEUP

The theory of makeup as a language makes it delimit time and social space, and just like every language gives it its own character of creating "codes that are socially interpretable by habit or produces unexpected meanings from the articulation it promotes between the sensitive and and the intelligible" (MAGALHÃES, 2010).

As a daughter of art, makeup lends itself to social actors to signify political discourses inscribed in their cyborg bodies as a technique of the body.

These bodies where gender discourses are also read under antagonistic perspectives regarding the use or non-use of instrumental makeup. As in the case of feminist collectives that refuse the essentialization of women in this way, while trans women reaffirm their presence in their bodies and also refer to the feminist movement, which makes it possible to interpret the diversity of militant social movements in social gender equality, which will be further discussed in virtual ethnography in the next chapter.

Before talking a little about each influencer in this category, it makes an analysis of two perspectives that are approached by these media bios when they talk about issues related to aesthetics or beauty: the first perspective is women who reaffirm their biological characteristics and the second perspective are the ones that deny these characteristics.

For example, there are references in the world of media representation that are reaffirming their biological characteristics, such as the model Winnie Harlow who has vitiligo, which according to dermatological aesthetic standards can be read as an "abnormality", "disfiguring" (PARADA and col., 2010) or "blemish" (WOSCH, 2014) as a political discourse for the sale of cosmetic products, that is, they use terms of moral judgment values to refer to genetic characteristics.

This relationship of denial or reaffirmation can also be noted with more common examples, such as the issue of Afro curly hair with the influencer Nataly Neri from the Afros e Afins channel, where she talks about the drama of friends, and pays attention to the issue of empowerment of black women. . As in several other channels, there is a legion of makeup artists teaching techniques to thin the face, denying the genetic traits that will be described here below.

Therefore, the group of digital influencers who reinforce genetic characteristics will be discussed first, and then those who deny genetic characteristics, and the extent to which these political discourses of body marking can reverberate socio-political issues of gender, ethnicity, and consumption.

In the group of digital influencers who reaffirm their genetic characteristics as a political gender discourse, who use the body as a social marker capable of reverberating power as an aesthetic of power, are: Nataly Neri, Hellora Haonne, and Luiza Junqueira from the Tá Querida channel.

And in the group from the perspective of denial of biological traits and that reaffirm some aesthetic standards of beauty, only a list of national and capixaba digital influencers will be listed, without specific considerations about them, leaving future considerations about how to behave at the discretion of the social scientist. The beauty myth (WOLF, 1992) in the informationalist development era (CASTELLS, 1999).

This agenda of digital influencers or makeup artists of great relevance even if they do not have ancestry in digital media, but are web celebrities, which configures an object of investigation for the social sciences as an analysis of this negotiation of "sustainable beauty" (CANON) or "myth of beauty" (WOLF), for example:

> [...] to analyze how the dynamics of fashion and beauty YouTubers fit into this context and their roles in the proliferation of an awareness of contemporary consumption, based on which beauty, today, implies the acquisition of supposed wonders in the form of cosmetics, but also the consumption of medicines, food discipline and physical activity. (SANT'ANNA, 201:15 In SILVA, 2016: 14).

In order to explore these meanings of the discussion around the "need for beauty in the contemporary world" (SANT'ANNA, 2014:15 in SILVA, 2016:14), the most relevant channels on the performance according to the researcher's criteria were selected.

The main selection criterion was the degree of familiarity that the researcher has with these digital influencers, exceptionally the capixabas, making the level of knowledge higher for analysis, except for the determinism issues that are subject in this relationship. However, it shows a greater degree of interaction and tracking of trajectories.

The other criteria used to select these YouTubers were:

Digital Influencers or Web celebrities that exist on Youtube and are exclusively Brazilian; because there are a lot of makeup artists who don't have a channel with many subscribers, but they are characterized as web celebrities where there are names such as brands published all over the web and in several other Youtube channels, as well as international makeup artists, but for this analysis it is configured in terms of time only the nationals.

From that category, it was then selected in order of:

Importance, in the sense of virtual makeup artists who are didactic and therefore can become very famous in a short time by approaching the general public, however, others not so famous are more recognized for the seriousness and refinement of more serious work, they use branded products Most of them give simple tips, but are ultra professional, take fashion week trends seriously, teach courses abroad, are trusted by celebrities, and sometimes become seniors of the biggest brands in the beauty industry. .

Relevance in the sense that they address fundamental issues for the reproduction of makeup techniques as a body technique or social marker with symbolic consequences.

Ownership, in the sense of taking the product and testing it and discussing its characteristics, pros and cons, what is called a "review" usually whoever does this work are famous for the general public. I make an effort to research the subject to find out what he's talking about, which can sometimes be understood as even exclusivity on the subject of makeup, for example, the blogger who keeps her focus on makeup, and doesn't get lost talking about her lifestyle, TAGS , hair, fashion, vlogs and the like. That's why I put Camila Coelho, Thássia Naves, Julia Petit and Niina Secrets at the end, because they are very relevant in terms of number of subscribers, but they mix many subjects that for the purpose of makeup artist to evaluate in social sciences the quality as a technique of the body or social marker is not so pragmatic.

Didactic at the heart of the ability of a virtual makeup artist to know how to communicate with his followers/subscribers, that is, not to put himself in a boring way in videos where something important has to be conveyed in a clear and objective way, that is, he has to go straight to the point and make serious and relevant comments, but without losing the audience over time. Therefore, his potential as an animator, so to speak, will be evaluated.

Digital Influencers of the general public in number of Subscribers and number of hits on Youtube, in order of content relevance as announced above:

Order	Digital Influencer	Chanel's name	Nº subscribs
1	Amanda Andrade Ferreira	Homônimo	199.126
2	Juliana Balduíno	JuBalduinomakeup	210.878
3	Alice Salazar	Homônimo	1.873.558
4	Mari Maria	Homônimo	2.033.364
5	Mariana Saad	Homônimo	1.207.618

6	Bruna Malheiros	Homônimo	1.078.273
7	Bruna Tavares	Pausa para Feminices	1.142.917
8	Camila Nunes	Homônimo	261.638
9	Andressa Goulard	Homônimo	376.787
10	Luciane Ferraes	Lu Ferraes	713.894
11	Duda Fernandes	Homônimo	743.491
12	Gabih Machado	Gabihmachado	197.351
13	Barbara Ferrazo	Barbara Thais	402.532
14	Marina Smith	Homônimo	79.613
15	Leticia Pequeno	Homônimo	23.544
16	Camila Coelho	Homônimo	3.059.519
17	Renata Meins	Homônimo	1.395.529
18	Thassia Naves	Homônimo	157.323
19	Niina Secrets	Homônimo	2.447.790
20	Joyce Kitamura	Homônimo	502.193
21	Paola Gavazzi	Truques de Maquiagem	Não informado
22	Julia Petit	Petiscos TV	407.991

Table: Digital Influencers of the general public in number of Subscribers and number of hits on Youtube, in order of content relevance for the Makeup object. Table last updated 22 July 2017.

95

Celebrity web professionals: Helder Marucci, Talita Barriquelo, Gabriela Wendramin, Thalyson Salvino, Ricardo Silveira (Capixaba), Roberta Peixoto, Letícia Rigolim, and Tati Bueno.

Web celebrities from the Media (TV, soap operas) and Fashion Weeks that use the name as national Brands: Fernando Torquatto, Juliana Rakoza, Celso Kamura, Fabi Gomes and Vanessa Rozan, Ricardo dos Anjos, Duda Molinos.

Espirito Santo Panorama of Digital Influencers: Débora Lyra, Nanda Portella, Maria Borgô, Gabriela Varejão, Karina Viega, Thaina Castro, Nathalia Beltrasi, Julia Rodrigues, and Licia Rebello.

Exceptionally, digital influencers from Espírito Santo were observed their latest numbers of followers in sociotechnical networks.

That is, among the influencers mentioned, the smallest Intagran account has at least 21 thousand followers (Tainá Castro) and the largest has more than 231 thousand followers (Débora Lyra). The smallest YouTube channel has at least 300 subscribers (Maria Borgo) and the largest channel has at least 30,000 subscribers (Karina Viega), while the fan pages revolve around the smallest page having at least 650 followers (Gabriela Varejão) and the largest has at least 146,841 thousand followers (Karina Viega).

Among those cited, those that most maintain links as media bios that are called partnerships with companies (paid, by exchange, or discounts) are in a more or less subjectively interpretative order by the researcher, that is, subject to systematic analysis: Nanda Portella, Débora Lyra , Karina Viega, and Nathália Beltrasi, that is, those with the largest number of followers.

The others are usually invited to brand events inside the shopping malls of the capital Vitória and its Grande Vitória region (Vitória, Vila Velha, Serra and Cariacica), which is notable in social media and printed or online news portals about training.

The national digital influencers who largely reaffirm biological traits and who have ethnic discourses are: Nátaly Neri from the Afros channel and the like who talks, especially about issues such as "Woman's loneliness", "cultural appropriation", "racism Institutional", "black women's hair", "black women's empowerment", among other hot topics of ethnographic interest for anthropology and an interesting aspect is that she is a student of Social Sciences.

CHAPTER 3

MAKEUP

The sociopolitical context in which the informationalist capitalist development mode was described has to do with the theme of this research: Makeup, insofar as the work relations illustrated by the professional role of digital influencer in sociotechnical networks, which are linked to the consumption, media and identities.

By providing their content with a specific type of digital influencer, the one who shares content about Fashion and Beauty indicates products, brands and stores (physical or virtual) and thus, such indications become part of the "desired" material support of their content consumer audience. .

> Information and communication technologies - ICTs have created new conditions for the production and commercialization of goods and for the production of subjects and meanings of being in the world, with a way of being that is built and reconstructed in the dynamics of encounters and disagreements in the world. diversity of being: consumers, sellers, critics, dissatisfied, happy, with more or less intimacy." (FALEIROS, 2013, p.7 in SILVA, 2016:14).

This chapter is dedicated to evaluating the extent to which the practices and knowledge of dealing with the body based on makeup are present in some themes of Social Sciences such as: gender relations, work and consumption in Cyberspace, and to what extent they can provoke interpretations that can be used for the production of knowledge about man (anthropology) and his relationship with others (sociology).

Thus, firstly, a brief historical and bibliographic interdisciplinary review was made on how the object is present in the dear themes of the Social Sciences, and how these lines of interpretation were arrived at.

It is, above all, a bibliographic review with scarce material without a consolidated line of research or importance already justified for the contribution of scientific material in Social Sciences, as already mentioned in the introduction to this work. Therefore, let's see the considerations and potentialities of the research object of this work.

LIMITS OF MAKEUP AS AN OBJECT OF SOCIAL SCIENCES

Making Makeup an object of study for scientific research in Social Sciences, as already mentioned, is a challenge in this work due to time and its interdisciplinary bibliographic breadth. In addition to being a complex exercise, as it brings together various interests from the human sciences: Gender discourses (Readings in Contemporary Social Theories), molding social bodies as prostheses of a cyborg (Body Anthropology), consumer relations (Consumer Anthropology) and relations of power and domination with regard to the Digital Age in which cybernetic codes of the body image and its techniques have shown their influence in the contemporary world of material base displaced from its origin in modern capitalism (Anthropology and Technology).

It is also a largely itinerant path in what it proposes to: Gather some data from several other areas of knowledge that have the category in common with Anthropology, such as: Arts (SAMPAIO, 2016), Linguistics (MAGALHÃES, 2010) in History (fragments of historical facts about painting: red lipstick, Queen Victoria XIX, etc.) Philosophy and Fashion (SVENDSEN, 2010), Biomedical: Dermatology (PARADA, 2010), Aesthetics (WOSCH et al. [20?]), Administration and Biology (AQUINO et al. 2015) Marketing and Advertising is mainly one of the largest arsenals on the subject, and it is worth paying attention to its political consumption character (GODINHO, 2016; PEREIRA et al., 2012; PALACIUS, 2006) Social Communication (NOTH, 1998).

In order to understand how these data are articulated in terms of perspective from the interpretation of their political discourses, organize them in an interpretative way within anthropological thought, especially in the context of cyberculture and sociotechnical networks where the manipulation of the image of human beings or cyborgs are spoken - occupies a role in the visual influence of centrality.

Therefore, the objective of this chapter is to evaluate the plastic dimension with which makeup extends to other areas of scientific knowledge and to interpret its political discourses, that is, from what perspectives they are being evaluated. As well as measuring, from the researcher's world experiences, the diversity of use or non-use of instrumental makeup – instrumental is another way of referring to body techniques – by the social actors of socio-technical networks of influence.

About the criticism that exists about makeup as an object of research and possible scientific investigation, which, like its cousin "Fashion", so influential in the western world since the Renaissance, also had its moments of underestimation. As the Norwegian philosopher Lars Svendsen (2010) complains, "it was practically ignored by philosophers, perhaps because it was thought that this, the most superficial of all phenomena, could hardly be an object of study worthy of such a profound discipline". Therefore, just as Philosophy is for "self-understanding" so is Anthropology for the understanding of the aspects of "man" - in its most diverse phenomena and interactions - just as the philosopher proved the influence of fashion for introspective processes, if here, as an intellectual work, also checks to what extent makeup becomes so influential in human life to the point of expressing ways of thinking, acting and feeling, as in a social action (WEBER, 1979) with a view to the action of the other. In this sense, the investigation of the social scientist must be guided by the meanings of these actions, whether rational by ends or values, affective or traditional, and their unfolding in human experience.

IMPORTANCE OF THINKING ABOUT THE DISTINCTION "OBJECT" AND "MAN"

The relationship between Cyberculture and the research object can be clarified when Castells (1999) talks about the transfiguration of the capitalist system and its consequences for the modes of production in another phase of organization with the advent of socio-technical information networks, which can be observed in work and consumption relations in socio-technical networks, having Makeup as an object.

Here, therefore, at the "nano" level, the behavior of social actors in this context is evaluated - further on in ethnography in virtual digital environments -, however, before starting the long itinerant journey in an undergraduate work with limited time and resources, refers at least to the contents available about the object: Its trajectory in history, interpretation that fits about it within Anthropology of the Body and its theories, gender relations in which it was important to have makeup as a social marker as a political discourse, and some other multi-disciplinary bibliographic materials that were possible to arise in just six months of itinerant research as a scientific object for a methodological approach to social sciences. In other words, an investigation at the "nano" level, to paraphrase the terms of language around the information technologies that social actors are taken to use as a language.

And finally, about this relationship between Cyberspace and the object, it is intended to distinguish the "object" and the "being" as a methodology of analysis, during the perspective approaches, as Castells' example in relation to "technology" made the distinction in the first chapter of what would be the "being" and what would be the "object" the network to assess its impacts on society.

So in these first subtitles, in general terms, it is more concerned with this gathering of subjects around what the object would be, and what the "man" would be, or rather, the body in this process. What can be embarrassing if we add Donna (1985) and Simondon (1958) to place this relationship of distinction, because they evaluate all these aspects to think about the Haraway relationship of conflict between them, sometimes the personification of the machine, sometimes the machinification of the machine. human (cyborg in HARAWAY, 1985) since due to its scarcity of material in the anthropological field of Social Sciences, although it raises questions that can be very well evaluated in our most central political issues such as: consumption, work, division of labor and the context of Cyberculture, which has to do with this object.

So, about this relationship between makeup and technology, it is concerned at first to situate in the Anthropology of body techniques where the markings of the body as makeup were present, and later in the final subtitles to talk more about makeup itself, that is, the technique, to conclude how this relationship of conflict of interests between them and its social consequences takes place.

THE HISTORICAL AND CULTURAL BODY

In these first subtitles, the investigations in Anthropology about the body are studied, because, as already justified in the previous subtitle, the analysis of distinction between the "object" to be studied and the "man" is necessary insofar as it is necessary to assess their impacts on society.

Therefore, the body as a technique in Anthropology must be understood as part of the "man" of the "human" and the manipulation it suffers from culture.

The dimension of the body in Anthropology must be understood beyond the boundary of the physical, as natural and biological, but also as historical and cultural in order to extend the other explanatory dimensions of how it places itself in the world. And while the body is in the world it signifies and modifies time and space.

The physical forms that the body is subjected to when they are inserted in the world, such as the preeminence of the right hand in relation to the left hand, can be reinforced or denied in the dimension of the body in its cultural and practical dimensions of the body. (HERTZ:1980 in LEITÃO, 2000)

Giving even more foundation to the cultural question about the physical body, is the question of skills learned by tradition in which cultures differ, for example: posture to "walk, swim, eat, hygiene and even give birth" are physiological needs/abilities that to take themselves for granted by the almost automatic constant reassertion of the body, but which nevertheless reminds us of how culture manipulates bodies. MAUSS (1997) reminds us that each society will adopt a series of "body attitudes" of its own, so this makes the reading of the body as a technique, which, once learned by tradition, could barely be perceived, because the habitus was reproduced. with such ease, so many times that it was not even questioned (an example was the practice of the body among Maori women, known as "Onioi", a kind of roll that was valued by the people).

The ways of making a physical body "human" are also being shaped around the world, as for example, among the Canduevo peoples according to Lévi-Strauss (1997b: 216) the bodies of those born among them should be painted and decorated to be recognized. your humanity.

> Body modifications are thus, in a very visible way, part of forming, deforming and conforming the body (biological, individual, social and cultural) of man (BOREL, 1992:15) these modifications, even with aesthetic objectives, what Michel de Certeau calls adaptation of the body to a code, to a norm (of culture) can be considered, constituting the "physical portrait". (DE CERTEAU: 1996:240 in LEITÃO, 2000: 10-11).

BODY AS A SOCIAL MARKER AND ITS LIMITATION

This dimension of the body as historical and cultural, which allows us to assess that it signifies and modifies society (HERTZ) as well as being manipulated by culture (MAUSS) was reinforced in recent studies in a master's thesis where there was a movement among young people from 13 to 15 years old who re-signify their bodies, turning them into a "potent social marker of contemporaneity". (DAMICO, 2006). This phenomenon can be better understood by the strong need for identity formation arising from social relationships at this age, the need to affirm and place oneself in the world, and to promote changes.

But this meaning of the body is not recent, because man has always marked his body as a form of expression in different cultures throughout history: tattoos, painting, scarification, and makeup.

The oldest mark ever found on an intact human body dates to 5300 BC known as the Iceman, then in ancient Egypt mummies are tattooed in fertility rituals (Princess Amuet, 11th Dynasty), and in Greece Herodotus cites peoples (Thracians and Tabans) with pigmented markings and scarifications. Later, at the time of the great navigations, there are records of Marco Polo in Asia (Cancigu, today Thailand and Burma) with the same markings on the body. Cristóvão Columbus and Américo Vespucci talk about incisions and ornaments in regions pierced in the body of natives on trips to Brazil.

However, the dissemination to European (Western) cultures took place in the 18th century (1769) in a voyage of Captain James Cook to the Pacific (already known in Anthropology by the interpretations of Marshall Sahlins, 1959) that back to Europe brings a Polynesian named Omai with tattoos on his body that served as an inspiration for the gentlemen of the Aristocracy, who now wear emblems tattooed on their arms and back as symbols of nobility. It then becomes possible to explain the etymology of one of the most important types of marking on the body, the "tattoo" (tattoo) through the English appropriation of the Tahitian and Samoan terms "tatah" and "tah-tah-tow", which mean " mark the body. These Maori people dye their faces to symbolize: kinship systems, birth rates, and conquests, (they even used these same symbols on their faces as signatures).

It is interesting to analyze that both the native peoples of Brazil in the 15th century and the Polynesians of the Maori people of the 18th century used the body both for permanent marking (tattoos, scarification, or incisions/perforations) and for transitory marking (paintings) to symbolize their cultural ritualistic expressions, as well as expressions of power and conquests. (LEITÃO, 2000:3-6)

The Brazilian indigenous peoples Yawalapiti, according to the anthropologist Viveiros de Castro (1977), have the concept of "bodily changes and social modifications" as the same. In other words, bodies can be, and at that moment are in fact, manufactured according to the social conception. Changing the body will change the identity. (in LEITÃO, 2000:11).

Le Brettton (1999), a French sociologist, could attribute to makeup an element capable of producing an "aesthetics of presence" (in LEITÃO, 200:14). A way of marking the existence of this physical body. In this sense, aesthetics in free interpretation comes from the Greek "aisthetiké" of the act of perceiving, but for the philosophy of art it can also be understood as a science that is concerned with what is beautiful in its artistic and natural manifestations.

That is, it has a sense of meaning, being and being in the world and in what way one is in the world. However, the cultural meanings of body technique are evident, and this aesthetic technique on the body will change from culture to culture.

The main difference between them is the aesthetic character in modern societies, and the character of traditional passage of indigenous tribes without a demarcation of the aesthetic character as centrality, however in both ways common ways of signifying the body in the world and how it changes are perceived. social power relations.

Makeup throughout history has left striking fragments as social signifiers, she used the manipulation of chemical materials found in nature in the form of colors and textures to explore artistic aesthetics and signify power in given moments of historical fatality. Like for example:

The history of Makeup across cultures, these understood as a system of human practices endowed with symbols and meanings, its genesis is registered in 3000 BC, adopting different contexts in time and space, such as in the Roman Empire, Japan during the age mid century XIII and XIV, with the Renaissance in the century. XV and XVI, and in Brazil where it can be observed between the tribes of the Xingu (MT) until contemporary times the aesthetic sensibility of paintings in religious ceremonies, wars, dances and rituals.

As it has been observed, man (rational, emotional individual) has not always had autonomy with his own biological body before the social, especially at the age where "body and spirit" were one, with the desacralization of the body in Descartes (1628) soon the bodies could give rise to anatomy studies for the development of medicine.

With reservations between the notion of "equal" in the tribal markings of traditional societies, and the markings of individuals in complex urban societies resulting from a "western modernity".

> Man proposes scientificity and objective rationality, but he also insists on asserting himself as a subject and subjectivity. The creation of the subject would be, above all, the creation of a world in which everything is governed by rational laws that are intelligible to human thought. The principle and central value of the world, before deposited in religion and in a religious morality, becomes freedom. With the French Revolution, this ideology of freedom and equality was affirmed, and the idea of human and citizen rights became unquestionable. The notion of the free subject brings with it the superiority of private virtues over social roles, and of moral conscience over collective judgment (LE BRETON, 1999 in LEITÃO, 2000:12-13).

After the French Revolution, and a world where rationality gives space to a free and autonomous man, with equal civil rights, this man acquired the ability to manipulate his original anatomy, and the individual, the greatest guardian of rational modern society, could have a right over your own body. (LE BRETON, 1999 in LEITÃO, 2000:12-13).

It is considered, however, in contemporary Western societies that individuals change their appearance and physical, aesthetic form according to their will and desire,

However, this apparently subjective will and desire do not emerge in the individual without a relationship of conflict. This is confirmed, for example, by studies by Gilberto Velho (1994). When he puts a project of a complex urban and western society, more or less along the lines that we have in Castells (1999), he refers to the questions of "individual projects" or biographies of individuals as central (VELHO 1994 in LEITÃO, 2000:13).

However, that individualization (the subject's autonomy) would always be in an arena of conflict and possibilities in contrast to totalization (the subject's place in the social group).

WOMEN REPRESENTED IN 20TH CENTURY MAKEUP. XX

From a historical point of view, the 20th century brought important individualities in terms of material transformations to the world, the material basis of society would no longer be the same, its rhythm and power relations were being shaped in space and time determined by industrial changes.

And the artistic aesthetic - it boils down to makeup - evoked the faces and bodies of women with political sayings every decade, as social markers, very slowly showing small advances in terms of independence.

In 1837, British Queen Victoria in the century publicly declared against the use of makeup and condemned it as "improper, vulgar and unacceptable". It was the way the 19th century got used to gender relations, condemning the use of makeup even with the slightest advance of the queen having broken with a lineage of male monarchs. (HAWKSLEY, 2015)

However, the evolution of social aspects in the world, especially in the 20th century with regard to gender relations in western society portrayed in makeup, continues its advances, even counting the decades until the 1960s.

The makeup evokes the "naughtiness" of women in the 1920s, the marked "boldness" of the 1930s on the eyebrows, and the "national duty" of the 1940s to look healthy even in the midst of war. Submitting women to use precarious resources such as grease and charcoal to express what was considered at the time as the expression, the social mark of women in bodies, the essentialization of women (Columnist at Portal da Educação accessed on July 22, 2017).

The pallor of the skin in the 50's with Marilyn Monroe as the maximum expression of a collective feeling among women. In the 1960s, with the political and cultural changes in American pop culture, the trend was to show the "innocent" with orange and hot pink tones. And the important "moral and psychological aspect" of the 70s that "there are no ugly women, only women who do not know each other", evoking the fashion front and anything else the aspect of choice in women, and successively the 80s. and 90 also brought their particularities (Columnist for Portal da Educação accessed on July 22, 2017).

> [...] The 21st century brings fragments of all past decades mixed together and tell a little of the history of female beauty through the ages. With the arrival of the new millennium, the various aspects adopted by beauty served as a mirror for us. The last two years mix all possible styles of fashion and makeup. They bring to the class and elegance of the beginning of the century, the sexy delicacy of the 60s, the irreverence of the 80s and the "apathy" in a protest tone of the 90s. (Columnist for Portal da Educação accessed on July 22, 2017).

Until finally resting in the last decade where the styles of all the decades of the 20th century were mixed in colors and textures, going back to the techniques of social aesthetic markers. (NUEVO et al. 2011).

However, the great moment is to think about what the 21st century brings as historical individuality from iconic personalities of fame who are usually anchors in the process of disseminating trends, such as, for example, Gisele Bündchen at the genesis of the century, bringing the "clean" aspect. in the entire complex of the face, and in the middle of the second decade of the 21st century, the Kardashian clan – among the largest digital influencers in the world in terms of number of followers on the social network intagran by the last check on the social network by the researcher – in a post on intagran that went viral on the internet made by her makeup artist Mario Dedivanovic – also followed by the researcher – the "contouring" technique as an obsession with the face marked as a tribute to the thinning of the face, in contrast to the "Plus Size" fashion movements in a discourse of acceptance of the shapes of the face. body – according to the researcher's experience reading hypertexts on the internet with the "Plus Size" tag.

However, one must question to what extent this beauty is increasingly heterogeneous, plural and diversified. Would they be the plurals of identity that Castells (1999) spoke about? Conflict between increasingly heterogeneous groups? The categories of gender diversity and their claim flags: Black feminists, American white feminists, different from trans feminists, and so on. Political flags that communicate? Until where?

When Castells (1999) talked about the process in which "patterns of social communication" would come under tension to the point that communication between social groups would become "alienated" considering each other strangers and then a threat to themselves. He spoke of the process of social fragmentation of identities that become increasingly specific, and more difficult to share. An example would be this one about gender discourses where the activation or not of the use of makeup can put to some extent tensions of conflict between the essentialization of women between the categories.

That he pointed out that the information society in its global module would be a risk to society and its peer social groups, as it was with the Hutu and Tutsi peoples in Rwanda in 1994. (CASTELLS, 1999:41) And to what extent does this happen? Important social actors will be listed to think about this process in virtual ethnography further on, discourses and interpretation materials for Brazilian social scientists in the contemporary world of class theory.

CONSUMPTION AND TECHNOLOGY

The consumption of cosmetics in Brazil has been influenced by the media (PALACIOS, 2006) this in the Information Age, even multifaceted, is not exempt from ideology.

So much so that a survey was carried out with a group of four women where it was possible to identify alternative life projects as practices of non-consumption of cosmetics and denial of makeup, for reasons of contesting the authority of the market (PENALOZA E PRICE 2003 in DE MATOS, 2013).).

Cosmetics is a way of referring to makeup as a material, and this material is linked to consumption, usually for the technical use of aesthetic manipulation of the body, especially on the face.

In this sense, the considerable increase in this consumption compared to the end of the sec. XX is eminent, because more and more new brands (brands) appear in the market with alternative and highly competitive solutions, along with the evolutions in communication technology. Structural changes in communication also revise the ways in which advertising and publicity develop to influence consumption. Therefore, the "importance that society attributes to the ideals of beauty that are conveyed and that affect the body image" is evaluated through the purchase reasons. When the image of the body as ideology and cosmetic advertising focused on storytelling in the form of ideology in soap operas, reality shows, and especially in sociotechnical networks and their social actors that are placed as variables to explain this growing consumption.

A recent study with 513 cosmetic consumers, however, demonstrate that the two variables: advertising of cosmetics and the ideology around the image of bodies respond to a role of mediation between purchase motives, but it does not occupy a central role (PEREIRA, 2012) first decade of the 21st century?

Sociotechnical information networks such as the most recent ones: Instagram, Facebook, YouTube, news portals, blogs, websites and even E-commerce demonstrate their influence on the consumption of brands and cosmetic products (QUIRINO, 2017). But they do not indicate statistically to what extent one could speak of centrality in the reasons for consumption that these sponsored opinions and feedbacks could trigger, but at least it gives us qualitative material to think about the relationship between work and consumption in socio-technical information networks.

However, the relationship between Technology and Makeup is evident as two very rich field research objects for exploration in Social Sciences.

THE BEAUTY MYTH AND SUSTAINABLE BEAUTY

Daughter of an anthropologist, the American feminist Naomi Wolf (1994) makes a deep analysis about the conception of beauty and the industrial age, showing how was the negotiation of the agency of power, being that on the one hand there were discourses of men who objectified the women's beauty as a bargaining chip, where women began to assimilate a "beautiful" face as a synonym for financial prosperity, part of the great economic system. In this way, "As women demanded access to power, the power structure resorted to the beauty myth to harm, from a material point of view, the progress of women" (WOLF, 1994:12-14).

This is an ultra enlightening analysis of the most intrinsic aspects that this work proposes. Because, from the understanding of what the relationship of beauty was like as a category present in women in the industrial era, that is, an era that was restructured after the informationalist development module, one can think what paths this category of beauty has taken in this new Age.

Her work, originally published in 1991 with the title "The Beauty Myth" and in Brazilian version "The Myth of Beauty: how images of beauty are used against women" served as a reference for the feminist movement because it contains the paradigms for to think about how ideas of beauty can harm women in the struggle for ascension of power in all senses: social, political and economic. It also reveals that in other historical times this reality was different (WOLF, 1992:25) and that the requirement for women to have an appearance that conforms to the standards of the beauty industry does not negotiate for a project worthy of prestige and power in the world. society.

> If myth has become a religion it is because we women miss rituals that include us; if it has become an economic system, it is because we still receive unfair wages; if it has become synonymous with sexuality, it is because female sexuality is still an unknown continent; and if it translates into a war, it is because

we are not denied the means to see ourselves as heroines, intrepid, stoic and rebels; if it corresponds to the culture of women, it is because the culture of men still offers us resistance. When we recognize that the myth has become powerful because it has taken over all that was best in female consciousness, we can turn our backs on it to see clearly all that it has tried to replace (Wolf, 1994: 280 in CARON, 2014:4).

The constant dissatisfaction with women's bodies has been the subject of research in the areas of Psychology and especially Psychiatry, and is one of the examples of how the beauty myth works in order to trigger the delay in the rise of women in society.

The psychiatric effects measured by the professional Dr. Augusto Cury can be found in his published novels that revolve around the dramatization of the issues of patients received in his office, usually young and women. In one of his works on the question of the demands of the role of women he says that:

[...] social cancer that has made literally hundreds of millions of human beings unhappy and frustrated - especially women and teenagers - resides in the dictatorship of beauty [...]. I have a very clear image in my mind of young models who, despite being overvalued, hated their bodies and thought about giving up on life. I remember brilliant people of great human quality who did not want to go to public places, because they felt excluded and rejected because of the anatomy of their body. I remember the people with anorexia nervosa that I treated (CURY, 2005:5).

According to him, he denounced these cases in national and international congresses, but which he now reserves for fictitious texts, since, in a scientific way, one is not free to recreate these facts in order to impact a wider audience of readers outside the academy. Anyway, whatever the economic reasons or personal needs cited here, it is as a qualitative data to illustrate a problem of militancy that has been posed.

> Men controlled and hurt women in almost all societies. Considered the stronger sex, they are actually fragile beings, as only the fragile control and attack others. Now, they have produced an inhuman consumer society that uses a woman's body, not her intelligence, to advertise their products and services, generating erotic consumerism. This system is not intended to produce resolved, healthy and happy people; he is interested in those who are dissatisfied with themselves, because the more anxious they become, the more consumerists they become. Even children and adolescents are victims of this dictatorship. Ashamed of their image, anguished, they consume more and more products in search of superficial sparks of pleasure. Every second, the childhood of a child in the world is destroyed and the dreams of a teenager are murdered (CURY, 2005:5).

But as one reads, he interprets in a dramatic way and punctuates consumer relations, also accusing the industry agency as a guide to this process of incarceration of women; and in the background, the patriarchal sexism that supports this process is also present in his speech.

An interesting alternative, however, was found by a researcher in the field of advertising – it is worth scientifically verifying from the perspective of the social sciences whether this discourse does not indirectly belong to a dominant ideology in some way, be it naive - speech- about the concept of Sustainable Beauty:

> When "being beautiful" ceases to be the pursuit of the standard, to become feeling beautiful, accepting oneself, knowing the characteristics of one's own body, having an identity and

personality and continuously seeking health and well-being. (CARON, 2014:2).

She wrote in her article that she deals with the woman's relationship with her body-category, which will be addressed in the first subtitle of the second chapter of this work to explain the relationship of the object makeup with the Social Sciences – taking into account the effects of the media in what is called the dictatorship of beauty, that is, the frantic imposition of very ideal and limited standards of beauty without collective representation of the multiplicities of being beautiful and woman.

She ends the article with a proposal for women to "rescue their autonomous identity, collective memory, freedom and ability to act" (CARON, 2014:6).

Somehow it is interpreted from this article that Makeup, as the focus of this work, can also be read ultimately in two ways: one as a human prosthesis, as it fits into the category of "apparatuses that provide some functional or communicative extension while in close association with the body" representing "everything that is external to the human being, that is, what does not organically belong to him." (CARON, 2014:3) This concept of human prosthesis serves to study digital influencers of the typological category "fashion and beauty" who deny a perspective of acceptance of the body and wish to change its biological characteristics (within the agenda of suggesting studies in Social Sciences present in ethnography).

And the other way of interpreting Makeup would be a performance of protection and communication of the body.

> Makeup is a constant feature of all fashion cultures, modern and 'exotic', and has both protective and communicative

value. In fact, with the nature of cosmetics being temporary and variable, there is a key to their versatility and meaning (LOK, 2003 apud CARON, 2014:4).

By protection, it is understood that people use different types of prostheses on their bodies to permanently change it and cause pain and scarification, makeup as protection has this plastic dimension in addition to protecting these permanent aspects of communication such as: tattoos and piercings, also acts as a plastic communicator, after all, identities change and resignify themselves.

Finally, in this interdisciplinary bibliographic review chapter on the social aspects of Makeup, it is considered that it works as well as technology as a technique of the body, its social effects must be evaluated after the action as suggested by Simondon (1958) on "technical objects".

It is not possible to evaluate the moral effects of Makeup as an object, because its use receives multiple effects. Therefore, as an object of study of the social sciences, Makeup proves its value as a social marker of political bodies, both for the purposes of social inclusion and exclusion in constant conflict in the arenas of Power (politics), Experience (identity) and Production (consumption), especially in the capitalist society with an informationalist development mode, which is the context of the object studied; where identities are more fluid and diverse, making it necessary to search for markers on bodies to express this diversity. When makeup is justified as a human prosthesis (CARON, 2014), or even a performance of protection and communication of the body (LOK, 2003).

And yet the ideological dominations of these historical institutions that shape women's bodies no longer do so today, in the information age, without a relationship of conflict. For, not counting the advances of feminist movements, there are also beauty agencies in the age of informationalism, given that the growing wave of increasingly individualistic subjectivities (CASTELLS, 1999) are also reproduced in the sociotechnical networks of women within this object of makeup as a research guide. In ethnography, however, an agenda of influencers for future netnographic investigations in anthropology is shown.

CONCLUSION

Finally, understanding the Network Society is more than doing Anthropology and Sociology, it is also understanding the historical steps that society is taking, entering a new Era, which is fundamentally proven historically by the fundamental patterns of Sociology in Castells (1999). Cyberculture composes another space where the human experience in interaction through Sociotechnical Networks forms, modifies and re-signifies subjectivities. Thus, making it a methodological challenge for Anthropology, as well as the entire area of social knowledge, by relating the categories of the human and technology and to what extent the epistemological limits can or not be pragmatic in scientific development. Having as a research suggestion the Digital Influencers, depending on the context, can be considered, depending on the context, social actors, activists and or activists of causes in which the Social Sciences already has an action agenda as a work category, consumer relations as previously announced. When talking about the Electronic Company and what it means in this context of the Digital Age.

In ethnography in digital virtual environments, it is possible to evaluate some contexts in which social scientists may come across when studying consumer relations, gender, identities and activism in sociotechnical networks. Through the description of cyber environments, Justifications in the choice of Influencers and their categorization from elements of the researcher's experience as a student of Social Sciences as well as a makeup professional, thus identifying through some concepts the categories of Politics, Body and Gender. The final part of the ethnography consisted of an analysis of the extent to which Makeup can be understood as a performance of affirmation or denial of body shapes and how this configures a political discourse about the body.

Makeup as well as Fashion has many limits to be studied as an object in Social Sciences. However, it has its importance in the role of thinking about the techniques of the body as a political discourse. As well as evaluating the body as a historical and cultural object or its limits as a Social Marker, which can be considered within the context of Anthropology of the Body. Among other attributes to have Makeup in the theory of social knowledge, it is possible to reinterpret the role of women represented in Makeup during at least the 20th century, their advances and frontiers in the development of their social rights in this period.

Consumption and technology are also related to Makeup insofar as digital influencers, through Sociotechnical Networks, operate in the Brazilian cosmetics consumption market that is already considered – as already announced – one of the largest in the world, which makes It is interesting for social scientists to assess the extent to which these influencers constitute and change relationships with the body as a discourse of affirmation of the "myth of beauty" (WOLF, 1994) or of "sustainable beauty" (CARON, 2014).

Finally, it is considered that makeup constitutes a potential object of scientific investigation for Anthropology insofar as it contributes as an investigative field, especially within a complex system that comprises the era of informationalism while restructuring the way of development of the capitalist system, where there are political actors permeated by sociotechnical networks that negotiate the relations of Power, Experience and Production (CASTELLS, 1999).

REFERENCES

AMARAL, Adriana; NATAL, Geórgia; VIANA, Lucina. Netnografia como aporte Metodológico da pesquisa em Comunicação Digital. **Revista Comunicação Cibernética**. n 39. p. 34 – 40. Editora Famecos/PUCRS. Porto Alegre, 2008. Disponível em:<http://revistaseletronicas.pucrs.br/ojs/index.php/famecos/article/viewFile/4829/3687> Acesso em: 01 jul. 17.

AQUINO, Simone; SPINA, Glauco Antônio; NOVARETTI, Márcia Cristina Zago. **Proibição do uso de animais em testes cosméticos no estado de São Paulo**: Novos desafios para a indústria de cosméticos e stakeholders. 2015. Disponível em: <http://www.redalyc.org/pdf/752/75244834006.pdf> Acesso em: 03 jul. 17.

ARRUDA, Clarissa Farencena. **De que é feita uma Me Brand? Estudo de Caso sobre o Capital social da Blogueira Camila Coelho.** (Trabalho de conclusão de curso, Graduação em Comunicação Social: Publicidade e Propaganda) Santa Maria, RS: 2015. Disponível em:< http://repositorio.ufsm.br/bitstream/handle/1/1979/Arruda_Clarissa_Farencena.pdf?sequence=1&isAllowed=y> Acesso em: 28 jun. 17

BURGESS. Jean, GREEN, Joshua. **YouTube: Online Video and Participatory Culture**.Cambridge. Polity Press. 2009. (Livro Digital).

CALDEIRA,TeresaPiresdoRio.APresençadoautoreaPós-Modernidade em Antropologia. **Revista Novos Estudos CEBRAP**. Edição nº 21, Julho 1998. (Página 133-157). Vila Mariano-SP. Disponível em: <http://lw1346176676503d038.hospedagem-desites.ws/v1/files/uploads/contents/55/20080623_a_presenca_do_autor.pdf> Acesso em: 28 jun. 17

CARON, Caroline Freiberger. **Influência da Moda da Ditadura da Beleza Feminina**. Faculdade de Tecnologia Senai Blumenau-2008, 2014. Disponível em: < http://www.coloquiomoda. com.br/anais/anais/2-Coloquio-de-Moda_2006/artigos/27. pdf> Acesso em: 10 jul. 17.

CASTELLS, Manuel. **A Sociedade em Rede - A era da informação: economia, sociedade e cultura**.v.1. São Paulo: Paz e Terra, 1999. Oitava edição está disponível em: <https://perguntasaopo.files.wordpress.com/2011/02/castells_1999_parte1_cap1.pdf> Acesso em: 28 jun. 17.

COUTO, Edvaldo Souza. Gilbert Simondon: **Cultura e Evolução do Objeto Técnico**. (Trabalho apresentado no III ENECULT – Encontro de Estudos Multidisciplinares em Cultura, realizado entre os dias 23 a 25 de maio de 2007 na Faculdade de Comunicação/UFBA) Salvador, BA: 2007.6p. Disponível em: <http://www.cult.ufba.br/enecult2007/EdvaldoSouzaCouto.pdf> Acesso em: 22 jun. 17.

CURY, Augusto. **A ditadura da beleza e a revolução das mulheres**. Rio de Janeiro, Sextante, 2005. Disponível em:< http://

entrenacoes.com.br/redemulheres/download/Augusto%20 Cury%20-%20a%20ditadura%20da%20beleza.pdf> Acesso em: 10 jul. 17.

DAMICO, José Geraldo Soares; MEYER, Dagmar Estermann. O corpo como marcador social: saúde, beleza e valoração de cuidados corporais de jovens mulheres. **Revista Brasileira de Ciências do Esporte**, v. 27, n. 3, 2006. Disponível em: < http:// www.oldarchive.rbceonline.org.br/index.php/RBCE/article/ view/77> Acesso em: 07 jul. 17.

DE MATOS, Eliane Braganca. **Resistência à maquiagem: práticas cotidianas e não consumo**. 2013. Disponível em: < http://www.bibliotecadigital.ufmg.br/dspace/handle/1843/ BUOS-9F6HD7> Acesso em 9 jul. 17.

FIGUEIRA, Mara. **Second Life: febre na rede**. Sociologia, p. 16-25, 2007. Disponível em:< http://www.gestaoescolar.diaadia.pr.gov.br/arquivos/File/pdf/pde_secondlifefebrenarede. pdf> Acesso em: 08 jul. 17.

GEERTZ, Clifford. **A interpretação das Culturas**. Zahar. Rio de Janeiro, 1978.

GODINHO, Flávia Martins; ARAÚJO, Rayssa Arianne Morais de. **Trama: o imaginário do batom vermelho**. 2016.

GUAITOLINI, Cláudia Cristina. **Maquiagem e sua importância para a Beleza**. Ed. ULBRA: Pólo Boa Esperança, 2011. Disponível em: <http://www.webartigos.com/artigos/maquiagem-e-sua-importancia-para-a-beleza/70555/> Acesso em 2 set 2015.

GUIMARÃES JR, Mário JL. De pés descalços no ciberespaço: tecnologia e cultura no cotidiano de um grupo social on-line.

Horizontes Antropológicos, v. 10, n. 21, p. 123-154, 2004. Disponível em: < http://www.scielo.br/pdf/ha/v10n21/20622.pdf> Acesso em: 8 jul. 17.

HARAWAY, Donna; KUNZRU, Hari; TADEU, Tomaz. **Antropologia do ciborgue**. Belo Horizonte: Autêntica, 2000.

HAWKSLEY, Lucinda. **O casal real que mudou a cultura e os costumes em seu país e no exterior**. Da BBC Culture. 21 jul 2015. Disponível em: <http://www.bbc.com/portuguese/noticias/2015/07/150721_vert_cul_vitoria_albert_artes_ml> Acesso em: 07 jul. 17.

HINE, C. **Virtual Ethnography**. London: Sage, 2000.

KOZINETS, R. V. **Netnography 2.0**. In: R. W. BELK, Handbook of Qualitative Research Methods in Marketing . Edward Elgar Publishing, 2007.

KOZINETS, R. V. **On netnography: Initial Reflections on Consumer Research Investigations of Cyberculture**. Evanston, Illinois, 1997.

LAZZARATO, Maurizio. **As revoluções do capitalismo.** Rio de Janeiro: Civilização Brasileira, 2006.

LEITÃO, Débora Krischke. À flor da pele: Estudo Antropológico sobre a prática da tatuagem em grupos Urbanos. (Trabalho de conclusão, Curso Ciências Sociais, Universidade Federal dório Grande do Sul, sob orientação Profª Drª Cornélia Eckert) Porto Alegre, RS: 2000. Disponível em:< http://www.lume.ufrgs.br/bitstream/handle/10183/30230/000672340.pdf?sequence=1> Acesso em: 28 jun. 17.

LOK, Kitty. **Fashion Technology and the Dynamic Indentity of Young Asian**, 2003.

MACLUHAN, Marshall. **Os meios de comunicação**. Cultrix: São Paulo, 1967.

MAGALHÃES, Ferreira. **Maquiagem e pintura corporal: uma análise semiótica**. Instituto de Letras, Universidade Federal Fluminense. Niterói: Brasil, 2010.

MAGALHÃES, FERREIRA. **Maquiagem e pintura corporal: uma análise semiótica**. Instituto de Letras, Universidade Federal Fluminense. Niterói: Brasil, 2010. Disponível em: < http://www.bdtd.ndc.uff.br/tde_arquivos/23/TDE-2010-10-05T124916Z-2655/Publico/tese%20final%20Monica%202010.pdf> Acesso em: 07 jul. 17.

MATTOS, Sonia Missagia. . **JESUS CRISTO CIBERNÉTICO**. Jornal Estado de Minas, Belo Horizonte, v. 01, p. 09 - 09 23 jun. 1999.

MÁXIMO, Maria Elisa. **Da metrópole às redes sociotécnicas: a caminho de uma antropologia no ciberespaço**. Rifiotis, T. Antropologia no ciberespaço. UFSC, Florianópolis, p. 29-46, 2010.

MEDEIROS, Zulmira; SANTOS VENTURA, Paulo Cezar. **Cultura tecnológica e redes sociotécnicas: um estudo sobre o portal da rede municipal de ensino de São Paulo**. Educação e Pesquisa, v. 34, n. 1, 2008. Disponível em: <http://www.scielo.br/pdf/ep/v34n1/a05v34n1> Acesso em: 8 jul. 17.

MENDES, Sueli Santos. **Maquiagem apostila de imagem pessoal**: Área de Beleza. 1ª Ed. FAETEC, Duque de Caxias. Disponível em: <http://www.ebah.com.br/content/ABAAAe0PQAH/apostila-maquiagem> Acesso em: 2 set 2015.

MÉSZÁROS, István. **A crise estrutural do capital**. 2009. Disponível em: <http://outubrorevista.com.br/wp-content/uploads/2015/02/Revista-Outubro-Edic%CC%A7a%C-C%83o-4-Artigo-02.pdf> Acesso em: 8 jul. 17.

NÖTH, Winfried. **Imagem: cognição, semiótica, mídia**. Editora Iluminuras Ltda, 1998.

NUEVO, Patrícia; EMILIANO, Silvani; CASTELLANO, Mônica. **A Evolução do Cabelo e da Maquiagem no século XX – 100 anos de História e Beleza–Um comparativo com os dias atuais**. 2011. Disponível em: < http://tcconline.utp.br/media/tcc/2017/05/A-EVOLUCAO-DO-CABELO-E-DA-MAQUIAGEM.pdf> Acesso em: 07 jul. 17.

PALACIOS, Annamaria da Rocha Jatobá. **Cultura, consumo e segmentação de público em anúncios de cosméticos**. 2006. Disponível em: <http://www.repositorio.ufba.br:8080/ri/bitstream/ri/1258/1/AnnaMaria%20da%20Rocha%20Jatob%C3%A1.pdf%282%29.pdf> Acesso em: 10 jul. 17.

PARADA, Meire; TEIXEIRA, Solange Pistori. **Maquiagem e camuflagem**. Moreira Jr, São Paulo, 2010. Disponível em:< http://www.moreirajr.com.br/revistas.asp?id_materia=3887&-fase=imprime> Acesso em: 03 jul. 17.

PENNACCHIA, Ariana. **O que é um influenciador digital?** Redação Universidade do Cotidiano. 19 out 2016. Disponível em: <https://universidadedocotidiano.catracalivre.com.br/o-que-aprendi/una/o-que-e-um-influenciador-digital/> Acesso em: 8 jul. 17.

PEREIRA, Francisco Costa; ANTUNES, Ana Cristina; NOBRE, Sofia. O papel da publicidade na compra de produtos cosméticos. **Comunicação e Sociedade**, v. 19, p. 161-178, 2012. Disponível em: <http://revistacomsoc.pt/index.php/comsoc/article/view/904/864> Acesso em: 07 jul. 17.

PIERRE LEVY. **Cibercultura**. Editora 34, 2010. Disponível em: <https://books.google.com.br/books?hl=pt-BR&lr=&id=7L29Np0d2YcC&oi=fnd&pg=PA11&dq=ciber-cultura+conceito&ots=giYDBA_Chn&sig=AekDsjVQPsrC1QMeQWwR1hO0jBM#v=onepage&q=cibercultura%20conceito&f=false> Acesso em: 08 jul. 17.

QUIRINO, Giselle; PINHEIRO, Wesley Moreira. **A influência da rede de blogs no consumo de produtos e marcas de maquiagem**. Temática, v. 13, n. 3, 2017. Disponível em:<http://www.biblionline.ufpb.br/ojs2/index.php/tematica/article/view/33401/17278> Acesso em: 07 jul. 17.

RECUERO, R. (2006). **Dinâmicas de redes sociais no Orkut e capital social**. Disponível em http:// pontomidia.com.br/raquel/alaic2006.pdf Acesso em 01 jul. 17.

ROCHA, Paula Jung; MONTARDO, Sandra Portella. **Netnografia: incursões metodológicas na cibercultura**. Revista Compós, p. 1-22, 2005.

SÁ, S. P. **Netnografias nas redes digitais**. In: PRADO, J.L. Crítica das práticas midiáticas. São Paulo: Hacker editores, 2002.

SAMPAIO, J. O. S. E. **Maquiagem teatral: Uma experiência metodológica de ensino na Licenciatura em Teatro**. 2016.

SARAIVA, Karla; VEIGA-NETO, Alfredo. **Modernidade líquida, capitalismo cognitivo e educação contemporânea**. Educação & Realidade, v. 34, n. 2, 2009. Disponível em: <http://www.redalyc.org/html/3172/317227054012/> Acesso em 8 jul. 17.

SILVA, Cristiane Rubim Manzina da. TESSAROLO, Felipe Maciel. **Influenciadores Digitais e as Redes Sociais Enquanto Plataformas de Mídia**. Faculdades Integradas Espírito Santense. Intercom – Sociedade Brasileira de Estudos Interdisciplinares da Comunicação XXXIX. Congresso Brasileiro de Ciências da Comunicação. São Paulo, 2016. Disponível em: <http://portalintercom.org.br/anais/nacional2016/resumos/R11-2104-1.pdf> Acesso em: 8 jul. 17.

SODRÉ, Muniz. **Antropológica do espelho: uma teoria da comunicação linear e em rede** / Anthropological mirror: a theory of linear communication and networking. Antropológica do espelho: uma teoria da comunicação linear e em rede / Anthropological mirror: a theory of linear communication and networking. Petrópolis, RJ; Vozes; 2009. 268 p. Disponível em: <http://bases.bireme.br/cgi-bin/wxislind.exe/iah/online/?IsisScript=iah/iah.xis&src=google&base=LILACS&lang=p&nextAction=lnk&exprSearch=745529&indexSearch=ID> Acesso em: 01 Jul. 17.

SVENDSEN, Lars. **Moda: uma filosofia**. Zahar, 2010.

VIEIRA, Eduardo. Influenciadores, a fronteira final da publicidade. Meio e Mensagem, 2016. disponível em: <http://www.meioemensagem.com.br/home/opiniao/2016/05/24/influenciadores-a-fronteira-final-da-publicidade.html> Acesso 8 jul. 17.

WEBER, M. **Ensaios de sociologia**. Rio de Janeiro: Zahar Editores, 1979.

WOLF, Naomi. **O Mito da Beleza**. 1992. Disponível em: <http://brasil.indymedia.org/media/2007/01/370737.pdf> Acesso em 10 jul. 17.

WOSCH, Annyloren Hort; DE CASSIA MALTA, Danielle. **Maquiagem Corretiva para Melasma**. Curitiba, PR. Disponível em: < http://tcconline.utp.br/media/tcc/2017/06/MAQUIAGEM-CORRETIVA-PARA-MELASMA.pdf> Acesso em: 03 jul. 17.

Links:

Colunista do Portal da Educação. A evolução do Mundo retratada na Maquiagem. Portal da Educação, 2013. Disponível em: <https://www.portaleducacao.com.br/estetica/artigos/27077/a-evolucao-do-mundo-retratada-na-maquiagem> Acesso em: 22 julho 2017.

Camila Achutti. Disponível em: <http://www.portalmulherexecutiva.com.br/camila-achutti-e-finalista-do-premio-claudia-2015-20021> Acesso em: 30 jun. 17.

Época Negócios Online. Disponível em:<http://epocanegocios.globo.com/colunas/Tecneira/noticia/2017/05/por-que-o-instagram-e-rede-que-mais-prejudica-sua-saude-mental.html?utm_source=facebook&utm_medium=social&utm_campaign=post> Acesso em: 22 Jul. 17.

Gregório Duvivier. Disponível em: <https://www.youtube.com/watch?v=qkiXcTp7lJk> Acesso em: 22 jul. 17.

Jout Jout. Disponível em: <https://www.youtube.com/user/joutjoutprazer> Acesso em: 22 jul. 17.

Social Science Citation Index. Disponível em: <http://annenberg.usc.edu/images/faculty/facpdfs/SSCIcommranking.pdf> Acesso em: 28 jun. 17.

WIKIPÉDIA: <https://pt.wikipedia.org/wiki/Influenciadores_digitais> Acesso em: 09 jul. 17.

Winnie Harlow. Disponível em: <http://delas.ig.com.br/moda/2016-11-22/modelo-vitiligo.html> Acesso em: 22 jul 17.h:Raphael Garcia

TECHOPEDIA, <https://www.techopedia.com/> Acesso em 27 Jan 2022

CYBORG REFERENCIES

Balsamo, Anne. 1996. Technologies of the Gendered Body: Reading Cyborg Women. Durham: Duke University Press.

Caidin, Martin. 1972. Cyborg; A Novel. New York: Arbor House.

Clark, Andy. 2004. Natural-Born Cyborgs. Oxford: Oxford University Press.

Crittenden, Chris. 2002. "Self-Deselection: Technopsychotic Annihilation via Cyborg." Ethics & the Environment 7(2):127–152.

Flanagan, Mary, and Austin Booth, eds. 2002. Reload: Rethinking Women + Cyberculture. Cambridge, MA: MIT Press.

Franchi, Stefano, and Güven Güzeldere, eds. 2005. Mechanical Bodies, Computational Minds: Artificial Intelligence from Automata to Cyborgs. Cambridge, MA: MIT Press.

Glaser, Horst Albert and Sabine Rossbach. 2011. The Artificial Human. New York. ISBN 3631578083.

Gray, Chris Hables. ed. 1995. The Cyborg Handbook. New York: Routledge.

——— 2001. Cyborg Citizen: Politics in the Posthuman Age. Routledge & Kegan Paul.

Grenville, Bruce, ed. 2002. The Uncanny: Experiments in Cyborg Culture. Arsenal Pulp Press.

Halacy, D. S. 1965. Cyborg: Evolution of the Superman. New York: Harper & Row.

Halberstam, Judith, and Ira Livingston. 1995. Posthuman Bodies. Bloomington: Indiana University Press. ISBN 0-253-32894-2.

Haraway, Donna. [1985] 2006. "A Cyborg Manifesto: Science, Technology and Socialist-Feminism in the Late Twentieth Century." Pp. 103–18 in The Transgender Studies Reader, edited by S. Stryker and S. Whittle. New York: Routledge.

——— 1990. Simians, Cyborgs, and Women: The Reinvention of Nature. New York: Routledge.

Ikada, Yoshito. Bio Materials: an approach to Artificial Organs

Klugman, Craig. 2001. "From Cyborg Fiction to Medical Reality." Literature and Medicine 20(1):39–54.

Kurzweil, Ray. 2005. The Singularity Is Near: When Humans Transcend Biology. Viking.

Mann, Steve. 2004. "Telematic Tubs against Terror: Bathing in the Immersive Interactive Media of the Post-Cyborg Age." Leonardo 37(5):372–73.

Mann, Steve, and Hal Niedzviecki. 2001. Cyborg: Digital Destiny and Human Possibility in the Age of the Wearable Computer. Doubleday. ISBN 0-385-65825-7 (pbk: ISBN 0-385-65826-5).

Shirow, Masamune. 1991. Ghost in the Shell. Endnotes. Kodansha. ISBN 4-7700-2919-5.

Mertz, David. [1989] 2008. "Cyborgs." International Encyclopedia of Communications. Blackwell. ISBN 978-0-19-504994-7. Retrieved 28 October 2008.

Mitchell, Kaye. 2006. "Bodies That Matter: Science Fiction, Technoculture, and the Gendered Body." Science Fiction Studies 33(1):109–28.

Mitchell, William. 2003. Me++: The Cyborg Self and the Networked City. Cambridge, MA: MIT Press.

Muri, Allison. 2003. "Of Shit and the Soul: Tropes of Cybernetic Disembodiment." Body & Society 9(3):73–92. doi:10.1177/1357034x030093005; S2CID 145706404.

—— 2006. The Enlightenment Cyborg: A History of Communications and Control in the Human Machine, 1660–1830. Toronto: University of Toronto Press.

Nicogossian, Judith. 2011. "From Reconstruction to the Augmentation of the Human Body in Restorative Medicine and in Cybernetics [in French]» (PhD thesis). Queensland University of Technology.

Nishime, LeiLani. 2005. "The Mulatto Cyborg: Imagining a Multiracial Future." Cinema Journal 44(2):34–49. doi:10.1353/cj.2005.0011.

Rorvik, David M. 1971. As Man Becomes Machine: the Evolution of the Cyborg. Garden City, NY: Doubleday.

Rushing, Janice Hocker, and Thomas S. Frentz. 1995. Projecting the Shadow: The Cyborg Hero in American Film. Chicago: University of Chicago Press.

Smith, Marquard, and Joanne Morra, eds. 2005. The Prosthetic Impulse: From a Posthuman Present to a Biocultural Future. Cambridge, MA: MIT Press.

Warwick, Kevin. 2004. I, Cyborg, University of Illinois Press.

Elrick, George S. 1978. The Science Fiction Handbook for Readers and Writers. Chicago: Chicago Review Press. p. 77.

Nicholls, Peter, gen. ed. 1979. The Science Fiction Encyclopaedia (1st ed.). Garden City, NY: Doubleday, p. 151.

Simpson, J.A., and E.S.C. Weiner. 1989. The Oxford English Dictionary (2nd ed.), Vol. 4. Oxford: Clarendon Press. p. 188.

93 ORPHANS IN PAKISTAN

@THEBEAUTYBYGRACE

I decided to do makeup as a ministry after I got married, so
I created this account to post some portfolio and encourage
people to donate for the cause of the orphans in Pakistan, and
I was so so excited when my first client donated to them.
"Today we have an account on the website go found me where
many people have been knowing more about their cause and
be able to love Jesus by helping this kids and widows to know
more about Him"

The very first time we support them in Jesus name they
were so appreciative that warms our hearts and make us felt
belonged to them.

Since 2021 we've been asking the Lord to give us a country to one day visit on missions when we retire if it's God's will, and then months later as I posted my daily morning devotionals on Instagram where I followed the Samaritan's digital account. Purse where we support in prayers and eventual financial support for small projects in the world where they need it most, as when the political and humanitarian crisis in Afghanistan in 2021 happened for example.

Then brother Nadeem started to follow me and show the Evangelistic work that is done with at least 93 orphans that he takes care of in rural villages near Faisalabad where he lives, he also has a public profile on Instagram where you can follow this work closely as also interviewed as I did little by little in order to gain confidence about faithfulness to the gospel. Brother Nadeem was always very dedicated and patient in sending me information on absolutely everything I asked.

While this book is being edited, brother Nadeem suffered his second car accident in his city in less than a month, this time it was more serious and he is seriously injured after a surgery that left him speechless and unable to eat normally. . His wife, Mrs. Saher, takes care of her son and her weakened husband at home with uncertainty about the future, after all, her husband lives on voluntary donations from the Christian community, according to her.

Below is information about the work of brother Nadeem and his family who love Jesus in that country where about **3%** only profess the Christian faith, and being an Islamic country sometimes makes it a little risky to serve Jesus and take the gospel, so we ask prayers for their lives that the Lord will help us build a structure to better shelter the orphans from the rains and low temperatures in the harsh winter that already reached −**4.0** °C (24.8 °F) in 1978, or even feed these orphaned children who work in a brick factory in a situation analogous to slavery, according to him.

From the left : Waseem, Dawood, Zohaib, Atsham, Joshva, Khalid and Amar located at this Christian town area in Faisalabad city

93 ORPHANS

1. Aiza female
2. Reia female
3. Atsham male
4. Hania female
5. Sidra female
6. Waseem male
7. Dawood male
8. Zohaib male
9. Saleem male
10. Shakeela female
11. Rehana female
12. Bad male
13. Nasir male
14. Imran male

15. Khalda female
16. Sajda female
17. Aneela female
18. Shameela female
19. Saima female
20. Nouman male
21. Kahan male
22. Iram female
23. Naila female
24. Gudia female
25. Zunaira female
26. Qasir male
27. Anosh male
28. Irmana female
29. Sabina female
30. Zareena female
31. Razia female
32. Tara female
33. Rizwan male
34. Tabinda female
35. Rafia female
36. Anny female
37. Kiran female
38. Sonia female
39. Niko female
40 Nabeel male
41. Gora male
42. Yousaf male
43. Ansar male
44. Faisal male

45. Warda female
46. Asif male
47. Sharooz male
48. Shamrooz male
49. Haam male
50. Danish male
51. Adal male
52. Sara female
53. Aman male
54. Biniameen male
55. Shahid male
56. Zahid male
57. Aslam male
58. Joshva male
59. Khalid male
60. Irshad female
61. Pasha male
62. Amar male
63. Irfan male
64. Fozia female
65. Zunobia female
66. Faiza female
67. Younis male
68. Kosar female
69. Umer male
70. Shahzad male
71. Liza female
72. Eman female
73. Janifer female
74. Mirya female

75. Eashel female
76. Shahbaz male
77. Khouran male
78. Iftkhar male
79. Zaiba female
80. Robi male
81. Zain male
82. Khushi female
83. Zara female
84. Amoos male
85. Vickey male
86. Grace female
87. Riaz male
88. Arshad male
89. Amjad male
90. Iqbal male
91. Buta male
92. Maqsood female
93. Rubecca female

"Sister this is the complete list of these children's and sister it is difficult for me to remember there exact ages and sister I'm really thankful to you that you are doing a lots of struggle for these street children's you have a great reward in heaven and God is so good I believe he will provide them sponsorship I believe and sister you are like an angel for these children's please do something that they can have food permanently on daily basics God bless you abundantly your younger brother Evangelist Nadeem Masih."

BROTHERS NADEEM TESTIMONY

My name is nadeem Sardar.

I was born in a christian family and and i use to go to the catholic church with my parents. As a child, whenever i prayed, i heard a voice – That you were born for a special purpose. I did not understand what this particular purpose was- for whom i was born and who is it that tells me this? I was worried about all these things and i topped praying.

After a while my mother asked me why you don't pray. I told the whole story about what happens to me after i pray, which scared me. Then my mother told me about the Holy Spirit that he spoke to us for our guidance-and let us know how we should live our lives.

Then i got Tuberculosis (TB). I had no chance of survival- due to lack of medical facilities. Then a man of GOD prayed for me and i will recovered soon-and i felt the power of GOD within me. How he did glorious things for us and i give my life to God and i was saved by his mercy. All the glories to his name.

My father died in a road accident when i was one year old. and when i grew up, I got to baptize and continued to pray – But holy spirit told me in his own time that i would be used for the Glory of God. Then i longed to know God more, so i went to Bible College. And holly spirit guided me to serve the poor,needy and Orphan children's – see God's plans for me. When i was a year old, I too became an Orphan at the age of one. As i entered the service of God, God endowed me with the tongue of the Holy Spirit.

Now, when i was young, Holy spirit teaches me that i was Orphaned as a child to understand the grief of the orphan's and serve to them, And i cried before God. And thanked him for his deepest secret of God. Now i have 93 children's whom i am serving i have total 93 children's with me. Twenty-Two children's are Orphan and 71 are poor and needy i have 37 widows whom- we are caring and there are forty families we are serving and sharing the word of God. This is my testimony AMEN.

"Today's word of God Blessed is my life that I realized today's Word is for me and the church meeting was so blessed and I was so blessed with it and thank God for giving us that He gives us the opportunity to give His word every day and we are filled with it because we have come to this earth to worship Him and He is using us in a powerful way . Thank Him. Lord bless you abundantly"

We will easily have the availability of urdu Bibles in our country and we will purchase and provide to the families. Who desperately need these Bibles, The Lord is with you. The Word needs to reach every corner of the world and you are helping God bless you

HOW DID YOU GET EDUCATION TO TEACH THE GOSPEL?

I got my spiritual education from IGM, an institution in Pakistan.After I was educated, they gave me this certificate. Thank God. If you asked me about it today, I will tell you about it.

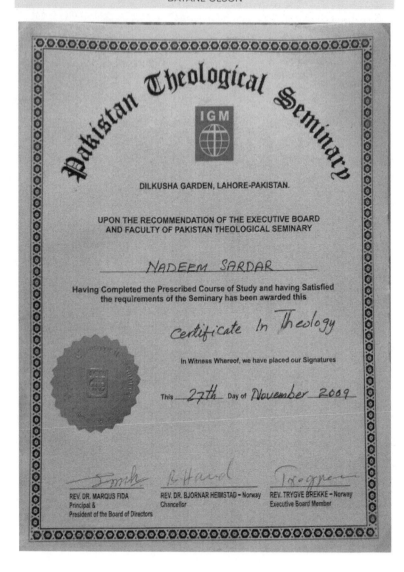

Pakistan Theological Seminary

IGM

DILKUSHA GARDEN, LAHORE-PAKISTAN.

UPON THE RECOMMENDATION OF THE EXECUTIVE BOARD
AND FACULTY OF PAKISTAN THEOLOGICAL SEMINARY

NADEEM SARDAR

Having Completed the Prescribed Course of Study and having Satisfied
the requirements of the Seminary has been awarded this

Certificate In Theology

In Witness Whereof, we have placed our Signatures

This _27th_ Day of _November 2009_

REV. DR. MARQUS FIDA
Principal &
President of the Board of Directors

REV. DR. BJORNAR HEIMSTAD – Norway
Chancellor

REV. TRYGVE BREKKE – Norway
Executive Board Member

FAMILY

Sister we are in our traditional Pakistani dress it called **shalvar kameez** and Saher has wear **frok** may be there also people wear or not.

This is the little Feniel ,what his name meaning is "I see God in front of me"

REPORTS FROM THEM AT 2121

Dear sister and Brother I hope you are well and I'm really thankful to you and I'm wisely using the money you have send me and today the journey of 70 Miles on my scooter and I reached out to them and provided them with food stuff and they were thanking you from the bottom of their hearts and you could see the smiles on their faces. We love you so much God bless you abundantly.

"For I was hungry and you gave me something to eat, I was thirsty and you gave me something to drink, I was a stranger and you invited me in I needed clothes and you clothed me I was sick and you looked after me I was in prison and you came to visit me" (Matthew 25:35-40).

Praise the Lord hallelujah dear sister I'm really happy to hear from you and I've received the money which you have send me thank you Lord And sister I'm thankful to you and to the brother who have send this money. Dear sister I'm Thankful to you from the bottom of my heart for sending us this money. We also lost two children and a woman due to **starvation** And I was praying to God, so God miraculously put it in my brother's heart that he would reach us to this point. I am glad that with this money we will be able to buy more food for a week so that these people will not die due to hunger. Dear sister, I don't understand how I can thank you. If you don't mind, say my thanks to your husband on my behalf. You two are no less than angels to us. Thank you, dear family, in Christ for providing us food supplies. God bless you and your family abundantly we Love you so much!

NEWS 8TH DEC 2021

And sister thanks for your support and struggles that you are doing for the orphan poor and needy children's we have used the money to buy the Bible's and give these Bibles to the children's and sister we need more Bibles to provide the family's also we need your support and prayers we are lucky that I have a sister like you me and my wife are Distributing the Bible's and we love you so much dear sister keep up the good work of God and I'm also happy to know about the sister who will support these children's I'm really very happy sister we still have shortage of food items and clean drinking water and Christmas is also near we want to give gifts to the children's for Xmas but no funds please pray for the so God provide some financial hands God bless you abundantly.

"My dear sister in Christ I've received the both amounts which you have send to us and sister it is very helpful for us and you and your friend are doing for those whom you don't know but you are very close to them in Christ dear sister I'm really thankful to you and your friend and sorry for the late reply I was busy to buy gifts and clothes for these children's so they can also be with us in the joys of Christmas and your support is a big hand for these children's dear sister I've no words to say thanks to you if some more people will participate to help these children I hope one day we will have a orphanage home building for these children's where they can live and get education about Christ and they will be great leaders in the future and dear sister this is all possible due to your hard work and with good communication skills sister tomorrow we are going to visit these children's to provide them with gifts and food stuff we will travel 69 miles please remember us in your prayer. We love you and your beautiful family and God bless you and your family and to your friend abundantly. Thank you, so much dear sister, for your gift of love for Christmas to these children's. We love you so much and God bless you abundantly and your family.

WHERE DID YOU LIVE?

Sister my Province is Punjab, city is Faisalabad Madina Town and the area is marriamabad st #4 House #P-242 , and where my wife and I are from is Faisalabad city

Before becoming a separate country, Pakistan and India together became one country and then it became the default in India and Pakistan and the area of Punjab became half of Pakistan and most of India. Indian Punjab is called upper Punjab and Pakistani Punjab is called lower Punjab.

WHERE THIS KIDS ARE LOCATED?

Sister the names of the areas are Toba,Gojra, shahkot this area is actually 20 km far from shahkot is the main area name, those are the villages like (panva) and (Bhai wala) this is also an area name and there are small areas too they are not far away.

That is Toba its called gojra road its 60 miles from madina town to toba and we have to travel 9 miles to reach that Dahi village that is from main road, it can be some how up and down

Where do they sleep at?

They work for a brick factory sister and they sleep in a tiny or open places in a brick factory

What Language do you speak at Pakistan?

They speak urdu and Punjabi and some how English they can understand

What is a Pakistani tipical food?

We have saag, Biryani, matka chicken, kadai, korma, yes sister we have all these dishes also in Faisalabad too

Cost of Bibles and Rice

Peace be upon you dear sister in Christ Jesus name and the currency of our country is Pakistani Rupee and each Bible which is urdu translated is for $10

Cerca de 14 dólares americanos uma sacola de 5kg de arroz basmati que eles comem lá.

SUPPORT

https://gofund.me/7ed37b34

IN MEMORY OF

Shakeela Bibi and the **baby Jamil** that die by starvation in December of 2021.

PORTUGUÊS

JESUS CRISTO CIBERNÉTICO

Sonia Missagia Matos

Pensando a experiência estética, não apenas como um caminho de acesso ao conhecimento, o filme "Matrix" é um campo articulado de coisas boas para pensar. O modo como os fatos estão aí combinados, embora nem sempre bem definidos ou claramente marcados, podem sugerir uma releitura da antiga e nossa já muito conhecida História da Salvação.

De última geração de ficção científica "Matrix", uma produção americana do ano de 1998, dirigida pelos irmãos Andy e Larry Wachowski, conta a história de um hacker que um dia, ao despertar, se viu controlado por artrópodes cibernéticos. Todo o planeta também o estava e ele deveria salvá-lo.

Como em um mito este filme está pleno de significados, sendo que no pensamento simbólico mágico-mítico não existe versão "verdadeira" de uma narrativa – da qual as outras seriam cópias ou ecos deformados – todas as versões pertencem ao mito e, portanto, explicam os sentimentos e comandam a rotina da vida.

O filme "Matrix" é povoado por "cyborgs". Forjados em práticas históricas e culturais específicas, os ciborgues são organismos cibernéticos, fusão de orgânico e do técnico. Por não terem sido feitos de barro, tampouco animados por um sopro que se transformou em vida, não poderiam sonhar com a volta ao pó, ao paraíso, a origem, ou a Matrix.

Mas, naquele dia tudo era possível... O passado e o futuro se fizeram presentes ali em "Matrix". O personagem central deste drama multicolorido é "Neo". Gestado nas matrizes implodidas da Nova Ordem Mundial. "Neo" é várias coisas ao mesmo tempo. No mundo da cibernética, ele é uma mercadoria vendida ao varejo nas bilheterias dos cinemas. Ele é também efeitos especiais, sons, cores, formas...

Mas o que se pode ler na superfície aparente do filme esconde alguma coisa que está sugerida na realidade mais profunda de "Matrix", alguma coisa que se tem que reconstruir para se descobrir. Através de uma análise objetiva, reduzindo progressivamente alguns fatos, podemos sair do nível do sensível, do aparente, que é confuso, que é inexplicável em si mesmo e atingir um certo nível do sistema simbólico que estrutura a narrativa cristã que está subjacente e que recupera, no jogo do significante, a imagem do Salvador.

Assim, ele é, também, um Cristo Cyborg, de natureza virtual - real, um Cristo apocalíptico. A substância da História da Salvação está presente na história vivida por "Neo".

Perseguido pelos "demônios", para os quais a humanidade é um "câncer", vendido por um de seus amigos, "Neo" sente mal estar por ter sido adormecido pelas forças do mal. Mas "Neo", o Novo, é o Predestinado para salvar Zion, a Nave Mãe, centro metafórico da Terra que é a capital de "Matrix", ou da Nova Jerusalém. "Matrix", o sagrado que não pode ser tocado sob pena de ser subsumido.

"Neo" tem seu caminho preparado por Morpheus. Morpheus, um dos mail filhos de Hipno, o Sono, mas também aquele que propicia os sonhos perdidos. Como um João Batista, Morpheus propicia os sonhos de "Neo".

É ele quem anuncia a sua chegada como predestinado, e que o acompanha durante todo o seu processo de preparação para desempenhar a missão "divina" - o sacrifício que irá redimir os filhos de Zion. Missão que "Neo" abraça ao rejeitar a tentação da pílula azul que o distanciaria do caminho do calvário que teria que galgar. Ele rejeita a tentação, ao demônio e opta pela pílula vermelha, que lhe é oferecida por Morpheus e que é análoga ao "sangue divino", a água viva do batismo. Tal como o Cristo judáico, também "Neo" fraquejou, chegando mesmo a se perguntar se não seria possível voltar atrás, se não seria possível ter o "cálice" afastado.

Ao terminar o rito de passagem, o corpo de "Neo" está muito e coberto de chagas. Refeito e reconhecido como pronto pelos filhos de Zion, "Neo" é simbolicamente rebatizado por Morpheus em cenas de luta de Kung-fu.

Acima de tudo, "Neo", figura desenvolvida dentro do simbolismo cristão através da tecnociência, produz uma unidade humana específica. Ele é nosso irmão Cristo Cyborg. É a prática da refiguração humana materializada. Ele é o cordeiro sacrificial apocalíptico do Terceiro Milênio Cristão, que ascende a Zion e dá suporte ao nosso sofrimento.

Doutora em Antropologia, Unicamp, professora de Antropologia da UFES/Vitória. Estado de Minas: Caderno Opinião. 23 Junho 1999 p.9

"**MAQUIAGEM** online mudou a face da **INDÚSTRIA** da beleza"

Maya, Glow Up na BBC

Transmitido na Netflix Estados Unidos, 2021

Um organismo cibernético ou "**cyborg**" em TI é definido como um organismo com componentes biológicos e tecnológicos. Em algumas definições, um ciborgue é descrito como uma criação hipotética ou fictícia. No entanto, em um sentido técnico, os humanos podem ser vistos como ciborgues em vários tipos de situações, incluindo o uso de implantes artificiais. uma pessoa pode ser considerada um ciborgue quando está equipada com implantes como válvulas cardíacas artificiais, implantes cocleares ou bombas de insulina. Uma pessoa pode até ser chamada de ciborgue quando está usando tecnologias vestíveis específicas, como o Google Glass, ou até mesmo usando laptops ou dispositivos móveis para trabalhar.

Techopedia em 27 de janeiro de 2017

A **Antropologia do Ciborgue** é uma disciplina que estuda a interação entre humanidade e tecnologia a partir de uma perspectiva antropológica. A disciplina oferece novos insights sobre os novos avanços tecnológicos e seus efeitos na cultura e na sociedade.

Antropologia Ciborgue – Wikipedia

A fábrica, como instituição paradigmática da economia capitalista, situa-se do lado da Modernidade sólida. A **empresa** situa-se do lado da **Modernidade líquida**: as pesadas máquinas termodinâmicas dão lugar aos elegantes **equipamentos digitais** [...] enquanto a fábrica mantinha um vínculo forte com a localidade onde estava, principalmente por sua forte dependência em relação aos trabalhadores que aí habitavam a empresa como que flutua no **ciberespaço**, tendo apenas uma **frágil ancoragem** num ponto do **espaço material**. (BAUMAN, 2007: 99 in SARAIVA, 2009, p. 190).

[...] o setor de **Cosméticos** e Perfumaria deteve **15%** das **vendas do comércio eletrônico no Brasil**, segundo relatório anual da empresa E-bit (WEBSHOPPERS, 2015), ocupando a segunda posição no ranking dos setores que mais vendem no país, por meio de compras em **lojas virtuais**. (in QUIRINO, 2017, p. 177).

DEDICATÓRIA

Primeiramente a **Deus Pai,** pelo Pai que Ele somente é sua presença real mesmo quando pensamos que estamos sós, pelo seu amor incondicional que nunca desiste de nos, por tua paciência longânime e sabedoria onisciente, o Deus que sabe de todas as coisas, conhece nossos corações e sonda nossos pensamentos mais profundos. Que nos enviou seu Filho perfeito.

Ao Deus Filho, o Senhor **Jesus Cristo** por seu sacrifício, exemplo de vida para honrar ao Deus Pai, e nos mostrar as coisas mais preciosas desta vida O Caminho, A Verdade e a Vida. Mais do que família, dinheiro e qualquer conhecimento humano que possa ser acumulado mas que estão fadados a vaidade, mas sabemos que quando estas coisas um dia não existem mais que a Sua Palavra jamais passara. Pois, o verbo existe eternamente com Deus, e é também Deus.

Ao **Espírito Santo**, enquanto a terceira pessoa da trindade Divina em seu esforço para salvar os eleitos, que leva nossas orações junto ao Pai quando nem sabemos o que dizer, que nos **convence de todo o pecado** e guia com sabedoria pela Verdade que é a Palavra do Pai para compreender coisas que aos sábios o Senhor decidiu esconder, e revelar aos humildes.

Família Olson

"Ora, não tenho alegria maior do que esta: saber que meus filhos estão andando na Verdade." 3 João 1:4 Bíblia King James Atualizada.

Mãe & Pai 1995

Sônia (Vó paterna), eu, Mãe Fernanda, Vó Guilhermina (Vó materna)
na colação de grau em 2017.

Eliana Oliveira, amiga nas horas de
necessidade.

Tia Márcia Araújo, viúva do faleci-
do Marcos Xavier (tio paterno).

Consuelo Miranda, professora de sociologia do ensino médio, uma inspiração para a escolha do meu curso de graduação. Nesta imagem estamos em Ibatiba na matéria do diário oficial do Estado onde a convite da mesma tive a oportunidade de ministrar uma palestra motivacional para alunos do ensino médio em 2015.

Professora do ensino fundamental Lourdes Maria Sousa de Paula, ensinando também valores para toda a vida.

Professora Sônia Missagia, uma inspiração durante o curso.

Família: Ao meu marido , aos meus filhos, ao meu sogro e minha sogra (os pais que Deus me deu), aos meus pais Davi Xavier de Souza e Fernanda Prudenciana, aos meus avos: Vovó Guilhermina, Vovó Sônia e avô Agripino Silvestre de Souza. Querida **Tia Márcia** Araújo e minha amiga **Eliana Oliveira** que me cedeu sua casa quando mais precisei de abrigo numa cidade grande que não conhecia ninguém e precisa permanecer para estudar, minha eterna gratidão.

Aos professores mais humanos que poderia conhecer, muitas das vezes, se desdobraram a momentos e situações para cuidar seus alunos nessa empreitada tão difícil, se considerada apenas o viés puramente racional:

Patrícia Pavesi: Não poderia me formar sem ela, pois, quem me daria tanta liberdade para falar de um tema sem linhas de pesquisa consolidadas? Algo tão novo e que mesmo que fosse emergente no mundo ainda assim na academia tradicional poderia ser algo muito frágil para se tratar como assunto de graduação. Mesmo assim ela acreditou, não me negou esforços e suporte, sempre me encorajou nos momentos mais difíceis quando as forças já estavam por sucumbir. Deus sabe dos anjos que coloca no nosso caminho.

Sônia Missagia: Mãe simbólica, das aulas de Durkheim à Mauss sempre falava sorrindo tirando a carga de um dia cansado que muitos levavam para a sala de aula a noite depois de um dia de trabalho. O jeito que falava deixava uma marca tão interessante ao assunto que logo parecia que Mauss falava dos nossos dias. E sua paixão pela Ciência e a Deus até hoje são inspiração para minha vida. Que o Senhor abençoe sua causa por sempre lutar pelo direito dos oprimidos.

Sandra Costa: Obrigada pela tolerância, amor e sabedoria.

Eliana Creado: Mãe, antropóloga e de Barretos, também venceu estudando e perseguiu um sonho quando todo mundo se perguntava a dinâmica funcionalista de um antropólogo. Me faz refletir o quanto ainda temos de passar por isso, e como seguir sem ressentimentos, sendo para mim uma inspiração enquanto cientista.

Todos vocês mesmo cansados, com uma imensa carga de responsabilidade social nas costas e por anos sem muito reconhecimento do quanto fazem por essa nação, são símbolos para mim de um "Cristo Cibernético" (MATTOS, Sônia Missagia, 1999). Crendo em valores, desconstruindo estruturas e conceitos tão intrínsecos em nós alunos que nem sabíamos como a educação poderia ser poderosa nesse processo de liberdade. Sobre nossos sonhos vocês acreditam neles, mesmo quando ainda estão no papel. Meu muito obrigada, foram os melhores anos que busquei na minha vida de conhecimento. Todos poderiam ter essa educação como básica para a vida, aprender sobre **respeito** a **alteridade**, nosso lugar no mundo, os espaços que o mundo trás para além do físico, como lidar com questões sociais discutindo, discordando mas sobretudo, preservando a integridade que nos torna humanos e as condições para a manutenção da vida em sociedade.

Ao meu **país natal, meu Estado-Nação Brasil** e as políticas de educação que ampliaram os recursos em Universidades Federais para tornar possível, não somente o ingresso, mas também a nossa permanência na universidade, embora ainda conte com muitas melhorias. No entanto, até aqui tornou possível à realização desse grande sonho de muitos brasileiros, de cursar o ensino superior de qualidade, mesmo longe de casa na maior parte do tempo, que hoje é um grande privilégio para os meus conterrâneos da cidade de Ibatiba.

NOTAS DA AUTORA

Este trabalho foi apresentado originalmente na Universidade Federal do Espirito Santo em outubro de 2017 ao Curso de Ciências Sociais do Departamento de Ciências Sociais do Centro de Ciências Humanas e Naturais como requisito parcial para obtenção de título em Bacharel em Ciências Sociais. Prof[a] orientadora Dr[a] **Patrícia Pereira** Pavesi e sob o titulo original: **Maquiagem enquanto objeto das Ciências Sociais: Etnografia sobre relações de trabalho, gênero e subjetividades em Redes Sociotécnicas**. Onde então mais tarde em 2021 teve sua primeira edição na categoria CTP (Cientifico, Técnico e Profissional) pela Editora UICLAP, São Paulo na versão original em língua Portuguesa.

Como esta é uma publicação para o publico em geral e não somente acadêmico, tomei a liberdade de fazer uma resenha atualizada sobre os aspectos gerais da obra em uma linguagem mais simples para quem não esteja familiarizado com os conceitos e termos acadêmicos, sob uma perspectiva mais contemporânea da geração **millenials**. Portanto, se assim como eu você não tem muito tempo a perder lendo uma obra muito extensa sem um objetivo pessoal que o mantenha interessado, se não es acadêmico ou profissional da área, esta **resenha é para você.**

A proposta de uma obra **bilingue** se deu pela demanda internacional na língua inglesa nos Estados Unidos onde vive com a família desde 2018. No entanto, a segunda edição teve uma tradução livre e portanto, conta com a sua ajuda na aprimoramento deste trabalho, apreciamos suas críticas do ponto de vista acadêmico, resenhas, correções ortográficas, semânticas e literárias que você pode enviar para o e-mail: dayane.farol@gmail.com observando o número da página, parágrafo e sua identificação. Desde já agradecemos qualquer colaboração e esperamos que juntos possamos ter uma terceira edição com melhor compreensão na língua inglesa e esperamos poder retribuir a cada leitor e colaborador com uma página de agradecimentos na terceira edição se Deus quiser.

TRANSFORMAÇÃO

TRANSFORMAÇÃO 🦋

Quando você conhece Jesus pela primeira vez como seu Senhor e Salvador pessoal, você deve se preparar para uma transformação completa em sua vida.

Claro que é um PROCESSO, leva tempo, exige esforço, às vezes dói, e pode parecer impossível (pois seria impossível conseguir esse cabelo lindo sem o talento de uma profissional como a @simonekerley).

Mudar a cor do meu cabelo me fez sentir mais confiante, me fez sentir mais bonita e me fez sentir como uma mulher diferente, e comecei a pensar em como isso era semelhante a SALVAÇÃO.
Quando você realmente tem um relacionamento com DEUS por meio de Jesus Cristo, o filho, sua vida se TRANSFORMA, você se sentirá bonita, confiante e se sentirá uma pessoa completamente diferente.

Se você está procurando uma transformação por fora, então vá até a profissional @simonekerley, mas se você está procurando uma transformação por dentro, vá ao profissional nosso Senhor e Salvador Jesus Cristo.

Disponível a qualquer momento para orações se quiser entregar a sua vida hoje mesmo a Cristo ✝

"Não vos conformeis com este mundo, mas **TRANSFORMAI-VOS** pela renovação da vossa **MENTE,** para que proveis qual é a boa, agradável e perfeita vontade de **Deus."**

Romanos 12:2

PREFÁCIO

ACEITAÇÃO OU CONFORMISMO?

O que eu quero dizer com o mundo digital? A gente consegue impactar outras vidas através do digital, mas não somente impactar, mas também levar a **Palavra** de Deus e influenciar de forma realmente positiva. A gente tem visto muitos casos (sic), essa semana mesmo tive uma situação onde uma cliente chegou no salão desmotivada, e disse que iria seguir outra pessoa, e que a outra pessoa fazia ela se aceitar do jeito que ela era. E então eu vi a oportunidade de falar sobre a questão de autocuidado, da maquiagem, cuidados pessoais.

Então eu disse a ela:

– Eu discordo da parte da **aceitação generalizada**, pois, acho que devemos aceitar algo em nossa vida desde que não cause nenhum **mal** para a saúde do nosso corpo, da nossa mente, para o nosso espírito. Ai sim, você deve se aceitar sim! Mas temos de saber a diferença entre aceitação e conformismo segundo a perspectiva bíblica onde diz que "não devemos nos conformar com este mundo, mas nós transformar. Por isso, entre a parte da influência. Você deve ter cuidado sobre tudo aquilo que você tem deixado entrar dentro do seu coração, da sua mente. Porque como que de fato eu posso fazer a diferença na vida de outra pessoa se eu não faço isso na minha própria vida? Então eu vejo que através do digital minha visão mudou muito, porque a gente alcança pessoas, lugares que a gente nunca imaginou alcançar, por isso acho que a gente tem que ter o cuidado na hora de influenciar as pessoas.

Será que a gente está fazendo as pessoas se conformarem com este mundo?

Ou a gente está transformando a vida das pessoas através da Palavra, através do conhecimento, e do amor?

Priscila Coelho
Conterrânea Maquiadora e Empreendedora Digital

RESUMO

Revisão bibliográfica interdisciplinar com a proposta de fazer da maquiagem um objeto de investigação em Ciências Sociais, bem como reafirmar a pertinência do Ciberespaço enquanto atualidade teórica e metodológica. Como metodologia usamos a Etnografia em ambientes digitais virtuais com o objetivo de criar uma agenda de atores políticos para investigação etnográfica. Considera-se finalmente que a maquiagem constitui um objeto de investigação científica em potencial para a Antropologia na medida em que contribui como campo investigativo, sobretudo dentro de um sistema complexo que compreende a era da informação e seu papel reestruturador do modo de desenvolvimento do sistema capitalista, onde se encontra atores políticos permeados por redes sociotécnicas que negociam as relações de Poder, Experiência e Produção (CASTELLS, 1999).

Palavras-chave: Ciberespaço, Maquiagem, Consumo, Gênero, identidade, Ciências Sociais.

RESENHA

A FRONTEIRA EPISTEMOLÓGICA EM CIÊNCIAS SOCIAIS: PESQUISA SOBRE MAQUIAGEM EM CYBERAMBIENTES

Um trabalho de conclusão de curso que resultou na publicação do livro, enquanto etnografia de uma estudante de Ciências Sociais baseada em suas experiências trabalhando como maquiadora freelancer e em paralelo como influenciadora digital em diferentes redes sociais como: Instagram, Youtube e Facebook, sobretudo para complementar sua renda e auxiliar na conclusão do curso.

Dividido em três seções principais, cada sessão tem cerca de 4 a 7 capítulos diferentes onde pode-se observar na primeira sessão: "Tecnologia e Sociedade" os desenvolvimentos dos conceitos básicos e contexto da importância de se pensar maquiagem como objeto das Ciências Sociais num contexto tecnológico de "cyberambientes"; na segunda sessão "Etnografia em Cyberambientes" é onde se discute os limites que as Ciências Sociais apresentam quanto à metodologia e até mesmo sobre seus aspectos epistemológicos no sentido de que em que medida em que se discute Ciências Sociais do ponto de vista de que seria os modos como a sociedade se organiza se ignora alguns aspectos contemporâneos como um novo espaço de discussão onde a sociedade acontece: meio virtual, entendido como uma extensão do próprio ser humano, o ser ciborgue. E então a terceira sessão: "Maquiagem" mais sobre o objeto de estudo em si mesmo, onde se conceitua seus aspectos históricos e potencialidades de se comunicar mensagens nos corpos dos atores políticos em cyberambientes.

> "[...] enquanto filha da arte a maquiagem se empresta aos atores sociais para significar discursos políticos inscritos em seus corpos ciborgues como uma técnica do corpo" (DE SOUZA, 2021, p. 69)

Entende-se que a maquiagem traz consigo não somente uma forma de arte, mas também de comunicação do corpo, inscrições no corpo, ecoam mensagens sobre status social, posturas políticas, e de gênero, em paralelo que se mostra presente na maioria das digitais influencers do gênero feminino nas redes sociais observadas e estatisticamente agrupadas para se avaliar nesta pesquisa (74-76 p.) pois, se trata de um grupo específico separado metodologicamente. Porém, o uso de maquiagem e filtros é algo que se observa com certa frequência entre os usuários da rede social Instagram, mais especificamente, o que sem dúvida deve movimentar muitos "K"s na indústria de cosméticos, alterando economicamente a dinâmica até mesmo internacional.

No entanto, estaria as Ciências Sociais preparada para avaliar todo esse processo de "reestruturação do modo econômico capitalista" (CASTELLS, 1999 in)? Ou ainda, em que medida metodológica ou epistemológica seria possível estudar esses atores políticos permeados por redes sociotécnicas que negociam as relações de Poder, Experiência e Produção?

Grandes perguntas e longos processos para entender a complexidade toda do fenômeno, como se diz em Ciências Sociais sobre os eventos das Manifestações de Julho de 2013 que tomaram as ruas do Brasil com brasileiros frustrados com a específica gestão política/ governo como um todo em seus aspectos morais sobre a questão da corrupção; quando um fenômeno assim acontece cientistas sociais podem apenas colher dados, processá-los e avaliar com cuidado todas as possibilidades, nenhuma resposta reducionista pode ser suficiente sem um acúmulo de dados, e falando em acúmulos de dados (data) uma coisa tem sido certa sobre esse novo espaço de exploração das dimensões do ser humano, ele apresenta uma facilidade inédita de uso de ferramentas para processar dados, ou seja, avaliando-se a priori a confiabilidade das instituições e provedores de tecnologia certamente teremos muito mais material e em tempo recorde do que há quase 10 anos atrás quase o diagnóstico das manifestações de julho de 2013 foram avaliadas e processadas e depois de pelo menos dois anos se teve um parecer das medidas do fenômeno, mas foi quando a comunidade social já não mais se importava com o assunto, ficando então para uso quase que resoluto acadêmico para futuras gerações que estudarem o fenômeno.

Mas se um dos papéis principais das Universidades no Mundo é buscar o prestígio social, no sentido de Pesquisa, Ensino e Extensão, que papel tem feito o curso epistemologicamente conhecido como Ciências Sociais? Deveríamos criar um novo paradigma como Ciências Sociais Computacionais para avaliar fenômenos de maneira mais rápida e empírica? Mais uma vez perguntas grandes e complexas, mas com certa urgência de respostas, afinal, esse novo espaço do conhecimento no mundo digital não espera tanto tempo assim, porque os processos mudam muito rápido.

Teria ainda em alguma medida esse novo paradigma em potencial, Ciência Social Computacional um novo paradigma entre Serviço Social e Comunicação, ou não teria nada de novo e simplesmente um upgrade, update nos métodos clássicos das Ciências Sociais mesmo? São perguntas que se tentam responder na sessão do meio desta obra, mas muito limitada ao tempo e capacidade argumentativa de uma estudante de graduação poderia discutir. Sugere-se Comunicação nesse outro paradigma no sentido em que neste específico objeto foi observado categorias importantes para aquela outra área do conhecimento, o Consumo e as Tecnologias da informação, obviamente este objeto supõe especificidades com relação com a "Maquiagem na medida em que os influenciadores digitais por meio de Redes Sociotécnicas uma atuação no mercado brasileiro de consumo de cosméticos que já é considerado – como já anunciado – um dos maiores do mundo, o que torna interessante para os cientistas sociais avaliarem em que medida esses influenciadores constituem e alteram as relações com o corpo enquanto discurso de afirmação do "mito da beleza" (WOLF, 1994 in) ou da "beleza sustentável" (CARON, 2014 in).

> "Finalmente entender a Sociedade em Rede é mais que fazer Antropologia e Sociologia, é também compreender os passos históricos que a sociedade está dando, entrando em uma nova Era, que é fundamentalmente comprovado historicamente pelos padrões fundamentais da Sociologia em Castells (1999 in)"

A conclusão deste ensaio científico pelo menos é que "A Cibercultura compõe um espaço outro onde a Experiência humana em interação através das Redes Sociotécnicas forma, modifica e ressignifica as subjetividades tornando assim, um desafio metodológico para a Antropologia" [e tudo o que se pode concluir por enquanto. Mas de que maneiro isso vai se dar vai depender das próximas gerações de cientistas sociais computacionais e seus métodos de investigação científica, mas é bem claro, que a velocidade não somente das Ciências Sociais, mas de todas as áreas do conhecimento universal como um todo holístico e integrado, combinando velocidade do processo da informação na Era em que mais se acumula dados na história da humanidade, desde que não temos muitos registros desde o incêndio da biblioteca de Alexandria.

INTRODUÇÃO

Tratar um objeto como a Maquiagem pouco difusa na área do conhecimento científico das Ciências Sociais torna-se um desafio no espaço-tempo na medida em que são apresentados prazos curtos-como o processo de trabalho de conclusão de curso de graduação - em função de um objeto um tanto novo na discussão de interesse da Antropologia, sendo necessários desdobramentos em outras áreas de ensino e pesquisa para consolidar material teórico e metodológico. No entanto, uma vez que se considera esse material interdisciplinar como uma bateria de informações a ser desenvolvida dentro de linhas de pesquisas mais abertas a propostas com essa dimensão plástica – Antropologia e Tecnologia - e considerando a propriedade de contato da relação pesquisador e objeto pode-se encarar com um pouco mais de propriedade o campo etnográfico de pesquisa, a fim de levantar antes conteúdos para os cientistas sociais.

O tema que permeia a discussão de tecnologia e sociedade justifica-se tal importância porque já é uma proposta para as Ciências Sociais já há algum tempo, temos como exemplos:

Disciplinas ministradas na própria graduação na Universidade Federal do Espírito Santo no curso de Ciências Sociais, como "Antropologia e Tecnologia" em 2015 com a professora

Drª Patrícia Pavesi, e a Inserção da autora Donna Haraway que já era feita em outras disciplinas de Antropologia falando sobre o corpo ciborgue e a relação do homem e a máquina, também com Gilbert Simondon. O que possibilita pensar outras metodologias de trabalho científico, e conceitos outros como: Ciberespaço, Ciborgue, e Objetos Técnicos que tanto faz parte dos estilos de vida contemporâneos.

Pensar a tecnologia moderna nas Ciências Sociais sob enfoques mais estéticos e menos de critica política e econômica é fato recente, mudanças nas relações de trabalho introduzidas a partir do advento das novíssimas tecnologias de informação também é algo fresco para quem estudou os clássicos (Durkheim, Marx e Weber) e seus contemporâneos em Sociologia, por exemplo. Antropologia do consumo talvez desse conta de parte dessa problematização a cerca de consumos contemporâneos potencializados no e pelo Ciberespaço.

Portanto, objetivo mais central deste trabalho é fazer uma revisão bibliográfica acerca das teóricas que nos permitem pensar os limites do ciberespaço para as ciências sociais enquanto atualidade teórica e metodológica que a Antropologia habitua-se; considerando como objeto a maquiagem que ilustra os tempos contemporâneos com relações outras de consumo, gênero e identidades com o advento tecno-científico. Temas caros as Ciências Sociais e que são elucidados nas análises mais sistemáticas atuais introduzidas pelo sociólogo espanhol Manuel Castells.

E como objetivo mais específico, suscitar pequenas interpretações antropológicas a cerca de: Tecnologia e Sociedade; "nova" configuração das relações de consumo, trabalho, corpo, gênero e identidades a partir da circunscrição do objeto da Maquiagem.

O trabalho está dividido em três partes principais Tecnologia e Sociedade, Etnografia em Cibermabientes e Maquiagem. Está presente nas três partes do trabalho categorias como Tecnologia, Técnicas do Corpo, Consumo, Relações de Gênero, Poder, Trabalho, e Subjetividades, sobretudo na Era Digital o que reafirma a ligação entre os temas.

A primeira parte do trabalho refere-se em sentido mais amplo a investigação de como a tecnologia tem moldado estilos de vida em comunidade afetando as mais amplas instâncias da vida social pelos olhos das Ciências Sociais. Este bloco se desmembra em uma série de subtítulos que vão trazendo nuances de como os contemporâneos dos clássicos das Ciências Sociais e suas epistemologias tem teorizado a relação Tecnologia e Sociedade.

Em segunda colocação vem à etnografia em ambientes virtuais digitais trazendo atores sociais que suscitam alguns temas caros das Ciências Sociais que foram discutidos neste trabalho enquanto revisão do método etnográfico em antropologia e seus limites.

Na terceira parte deste trabalho está reservado espaço para um breve resgate histórico e bibliográfico sobre como a Maquiagem está presente nos temas caros das Ciências Sociais podendo servir como objeto de análise científico e seus limites enquanto tal.

A metodologia sistemática empregada neste trabalho tem uma abordagem teórica metodológica um tanto pautada em reflexões da Teoria Antropológica Contemporânea. Pois, espera-se das Ciências Sociais, mais hoje do que nunca, que se questionem paradigmas em prol da ampliação no debate científico.

Nesse caminho desenham-se ao longo dos anos experiências antropológicas, sobretudo no século XX, onde se tem financiamentos por parte do governo inglês para investigar culturas no pacífico ocidental, com Malinowsk entre os Trobriand e Aborígenes (MALINOWSKI: 1922) onde se tinha um dos primeiros rompimentos paradigmáticos do conhecimento científico e sistemático para se conhecer culturas em comunidade e descrevê-las. Também se teve na África centro-oriental o inglês Evans-Printchard (1940) entre os povos Nuer que aplicou com propriedade características do que seria uma Antropologia Social para melhores aproveitamentos dentro da área de conhecimento epistemológico.

Portanto, pode-se dizer que a partir do século XXI tende-se a "rejeitar as descrições holísticas", e mais se atenta do quanto do outro se tem entre nós, e mais do que relação de poder presente nos discussões dos grupos em questão se preocupa com o que se tem de semelhante ou diferente. E ainda muito se fala na capacidade limitada de descrever a alteridade, portanto, mais importante do que dizer o que o outro é, é perguntar ao grupo quais as suas concepções a cerca de si mesmo, e expor nossas dúvidas e problematizações a que se leva a determinadas interpretações.

A fim de estabelecer com clareza as relações do pesquisar e objeto, como feito acima na descrição deste trabalho, evitando que a validade da sistematização científica seja questionável. Essas são pelo menos, as características metodológicas mais gerais que o trabalho antropológico contemporâneo mais deve se atentar. Para mais informações sobre o "papel do autor no texto etnográfico" em Teresa Pires do Rio Caldeira (1988).

TECNOLOGIA E SOCIEDADE

Não se pode falar de Tecnologia e Sociedade sem citar o sociólogo espanhol Manuel Castells, autor de uma das obras mais completas para os cientistas sociais sobre o assunto. Reúne em uma trilogia dados desde os primórdios do que chama "era da informação" em contrapartida com a teoria da dinâmica socioeconômica que o mundo tem passado após esse advento, disponível a partir do primeiro título "*A Sociedade em Rede*" (1996), seguido de "*O Poder da Identidade*" e "*O fim do Milênio*" que trabalha a questão do "novo paradigma econômico-tecnológico para as instituições sociais e políticas" (CARDOSO in CASTELLS, 1999:36).

É um estudo esclarecedor para se deixar a par dos lados desse prisma complexo de conhecimento científico social contemporâneo. Ele já foi comparado pela sua ampla abrangência de visão de mundo e volume de informações a Max Weber em "*Economia e Sociedade*" por nada menos que Anthony Giddens, este último considerado o mais importante sociólogo britânico contemporâneo. Ousa-se interpretar que na linha de sucessão de clássicos das Ciências Sociais talvez Castells esteja para Weber como Giddens esteja para Marx.

Castells adverte ao longo de 12 anos - como ele mesmo coloca na introdução da primeira edição que reuniu dados nos Estados Unidos, Ásia, América Latina e Europa – a importância de introduzir nas análises os deslocamentos que a sociabilidade contemporânea tem tomado, e de fato, é difícil tratar de categorias sociais sem citar alguma afetação dessas transformações consideráveis, sobretudo na arena política quando se discute, por exemplo, no Brasil hoje a territorialidade indígena sendo questionada pela oposição com argumentos de que o uso de ferramentas de tecnologia por parte dos indígenas torna supostamente vulnerável sua identidade indígena. O que é inadmissível pensar, pois, as culturas desde a metade do século já são estudadas pelo paradigma antropológico como "em movimento". E sua autoridade científica não para por aí, Castells também está entre os cientistas sociais mais citados no século XXI, sobretudo no período de 2000 à 2006, segundo dados da revista anual *Social Science Citation Index*. A ampla visão de mundo do autor tem a ambição de entender a "nova estrutura social" segundo ele, envolvendo as agências de diversidade cultural e instituições atuais, porém, como um cientista social astuto não o faz ingenuamente.

Pois, a decisão política também se faz presente em uma obra tão densa academicamente, no prefácio Fernando Henrique Cardoso, sociólogo e ex-presidente da república, atenta para as questões de unilateralidade política que segundo ele Castells...

> [...] encontra no paradigma tecnológico baseado na informação princípios norteadores de um novo "modo de desenvolvimento", que não substitui o modo de produção capitalista, mas lhe dá uma nova face e contribui de forma decisiva para definir os traços distintivos das sociedades do final do século XX. (_____ in _____, 1999, p. 35-37).

Ou seja, não se exclui aqui a neutralidade política das questões sociais da era da informação, o tempo todo se deve estar atento a uma dimensão política do capital com essa "nova face" – arriscaria já parafrasear a próxima parte do trabalho, falando de rosto maquiado do capital, ou melhor, o modo de produção capitalista maquiado, uma vez que os recursos artísticos estão dispostos para a caracterização do rosto humano como a tecnologia e sistemas de informação estão para esse modo de produção capitalista – Bem como, se posicionar nas produções acadêmicas do conhecimento se torna uma necessidade ainda maior – em termos de descrever qual a relação do pesquisador em relação ao objeto pesquisado – uma vez que as produções em Comunicação Social, Marketing, e Publicidade podem fazer uso desse conhecimento tecnológico em relação à sociedade com ingenuidade em relação aos efeitos para essa, investindo propostas otimistas para o desenvolvimento do capital.

Um conjunto de conceitos substantivos para se falar dos tempos contemporâneos estão dispostos em seu trabalho, como os vários conceitos de Karl Marx para se entender o Sistema Capitalista como um todo, no entanto, este é um pequeno trabalho de investigação para graduação com tempo e fontes de pesquisa um pouco limitadas ainda, por isso atenta-se a pelos menos dois conceitos mais centrais da obra de Castells para se dar início as interpretações teóricas e suas constatações, eis os conceitos mais centrais que vão ser analisados neste trabalho: Era da Informação, Informacionalismo, e Rede.

Era da Informação refere-se ao tempo histórico pós-industrial, sobretudo com raízes na década de 70 do século XX a partir do Microprocessador, rede de computadores, fibra óptica e computador pessoal - mesmo que este último ainda estivesse ligado apenas à relação de organização e administrações burocráticas, sem o aspecto forte economicamente – no entanto, sua configuração central e marcos nos aspectos múltiplos da vida social se dão precisamente a partir da década de 80.

Um fato que ilustra esse advento e seus deslocamentos de gênero no Brasil está nas memórias da jovem militante Camila Achutti[1] – esta informação foi extraída de uma reportagem -

---

1 CAMILA Achutti é finalista do Prêmio Cláudia 2015: Jovem é umas das principais militantes pela igualdade de gênero na informática. Portal Mulher Executiva, Multimeios, 26 Agosto

que ingressou na USP (Universidade de São Paulo) em 2010 e deparando-se com a realidade de ser a única do sexo feminino em uma turma de 50 alunos do curso de Ciências da Computação questionou-se sobre seu espaço, e desde então luta pela igualdade de gênero na informática através de blogs e projetos sociais (entre eles a criação de aplicativos para ajudar mulheres em condições de vulnerabilidade social).

Em uma conversa com mãe desmotivada a continuar no curso encontrou uma foto da primeira turma do curso em 1971 onde 70% dos alunos eram do gênero feminino. Após uma pesquisa Camila interpreta que na época o uso do microcomputador era limitado ao uso administrativo de algumas universidades e escritórios por parte de secretárias, uma profissão não consolidada sem a centralidade no orçamento familiar. O que mudou a partir da década de 80 com injeções milionárias no mercado de negócios da Era da Informação. (CAMILA, 2015)

Essa memória reforça a importância na atualidade nas Ciências Sociais de se inserir a tecnologia nos debates sobre gênero, espaços de ocupação da mulher na vida pública e privada, sobretudo na tomada de decisões e relação de poder - outros aspectos da vida sociais interessados as Ciências Sociais vão ser investigados mais a frente na etnografia virtual deste trabalho.

Informacionalismo é um novo modo de desenvolvimento que faz parte de uma nova estrutura de dinâmica social particularmente acionada na Era da Informação moldada a priori para a "reestruturação do modo capitalista de produção".

O informacionalismo trata-se do desenvolvimento tecnológico, acumulação de conhecimentos e complexidade da informação assim como o industrialismo está para o cresci-

2015. Disponível em: <http://www.portalmulherexecutiva.com.br/camila-achutti-e-finalista--do-premio-claudia-2015-20021> Acesso em: 30 jun. 17

mento da economia em termos gerais. Por isso, a função do informacionalismo é atender a busca por conhecimentos e informações que podem em boa medida serem usados para o desenvolvimento de produção (CASTELLS, 1999).

Apesar da origem do informacionalismo vir de esferas de dominação da sociedade industrial produtiva e militar a relação com a tecnologia se expande a outras instâncias da vida social, por exemplo, penetra na relação de "poder" e "experiência" da vida humana alterando modos de ser, agir e pensar complexificando a relação do comportamento social em comparação a uma era industrial, na era da informação a tecnologia tem moldado novas estruturas de comportamento social, interagindo com a cultura que interessa a antropologia. Especialmente até o surgimento de novas culturas podem ser avaliadas, pois, a interação em rede torna possível se pensar outras origens culturais, o que já era esperado por Castells quando fala de "novas formas históricas de interação, controle e transformação social".

Sobre essas formas históricas de interação tem-se como um dos melhores exemplos a cultura em rede organizada em torno de vida social com desdobramentos virtuais a rede social Second Life (FIGUEIRA, 2007).

E é interessante que os cientistas sociais e antropólogos que forem estudar culturas em rede estejam atentos ao modo teórico que organiza de forma muito ampla essa dinâmica social de individualidade histórica (WEBER, 1930), pois, manter a separação teórica entre modos de produção: capitalista e estatista e os modos de desenvolvimento: industrialismo e informacionalismo são fundamentalmente necessárias.

A perspectiva teórica que fundamenta essa abordagem postula que as sociedades são organizadas em processos estruturados por relações historicamente determinadas de *produção, experiência* e *poder*. *Produção é* a ação da humanidade sobre a matéria (natureza) para apropriar-se dela e transformá-la em seu benefício, obtendo um produto, consumindo (de forma irregular) parte dele e acumulando o excedente para investimento conforme os vários objetivos socialmente determinados. *Experiência é* a ação dos sujeitos humanos sobre si mesmos, determinada pela interação entre as identidades biológicas e culturais desses sujeitos em relação a seus ambientes sociais e naturais. E construída pela eterna busca de satisfação das necessidades e desejos humanos. *Poder é* aquela relação entre os sujeitos humanos que, com base na produção e na experiência, impõe a vontade de alguns sobre os outros pelo emprego potencial ou real de violência física ou simbólica. As instituições sociais são constituídas para impor o cumprimento das relações de poder existentes em cada período histórico, inclusive os controles, limites e contratos sociais conseguidos nas lutas pelo poder. (CASTELLS, 1999, p. 51-52)

Sobre o modelo teórico amplo a que se refere este trabalho, para compreensão mínima do que seria esse contexto de "reestruturação do modo capitalista de produção" qual o tema maquiagem esta inserido, faz se necessário explicar melhor pelo menos três conceitos básicos que ordenam esse pensamento da nova estruturação de dinâmica social. Que seriam: a Produção sobre a relação de classes, Experiência que pressupõe as relações de gênero e Poder com a relação do monopólio do uso da força pelo Estado.

Dentro do fragmento de "produção" parte da grande teoria, estuda-se aqui as tecnologias e suas redes de informação como um mediador da relação entre a "mão de obra" (humano) e "matéria" (natureza) que se faz importante na medida explicativa sobre uma abordagem teórica maior para entender a teoria geral, que seria os processos dos meios de produção que envolve energia (humano, mão de obra), conhecimentos e informação (tecnologia). Deste modo entende-se finalmente que o informacionalismo é um meio específico de produção, categoria tão nobre as Ciências Sociais, sobretudo nos tempos contemporâneos em que a produção e trabalho passam por um momento de reestruturação que vão ser ilustrados neste trabalho.

Portanto, compreender significa de informacionalismo é importante na medida em que se faz uma critica ao "pós-industrialismo", e constitui em boa medida as bases para se pensar os "problemas de nosso tempo" como alerta Castells (1999) referindo-se a relação antagônica da "homogeneização social" e diversidade cultural, transformações estruturais do emprego tendo a vulnerabilidade da mão de obra como problema central, mas não somente isto porque está dentro da perspectiva trabalho e este implica em também em novas práticas empresariais que serão ilustradas aqui dentro da categoria que mais cresce no mundo atual que são os influenciadores digitais, isso também soma importância na medida em que pode estar relacionada à questão das formas de "inclusão" e "exclusão social". (CASTELLS, 1999, p. 39-51).

Redes são ao mesmo tempo instrumentos abertos a novas integrações desde que comuniquem códigos semelhantes, no sentido de valores ou objetivos e também uma fonte de "reorganização das relações de poder".

As redes têm sido uma ferramenta apropriada a economia capitalista. Pois, pelas redes passam fluxos financeiros de interesse político através dos "impérios da mídia", e sobre os impérios da mídia vale a pena se pensar que esta também passa por um momento de constante mudança e inovação. O que antes era centralizado nas mídias como rádio e TV na Era da Informação elas passam por uma mudança e se estratificam por redes sociais e outras formas de mídia que cabem as Ciências Sociais estarem investigando quais são as novas cabeças da grande besta do apocalipse, parafraseando Hobbes sobre o Leviatã para falar do governo civil.

Esses fluxos financeiros de interesse político a que referido acima seriam apenas uma das múltiplas formas de conexão entre as redes representando "instrumentos privilegiados do poder". Sendo seus conectores, ou quem estiver ligado a essas redes serão os "detentores do poder".

A importância de se estudar redes portanto, reside na base material qual a sociedade está organizada através das redes que vão moldando os rumos dos processos sociais predominantes e moldando a estrutura social da qual fala-se que está passando por transformações estruturais da forma de desenvolvimento industrial para informacional, ou melhor, informacionalista.

Abaixo segue nas palavras de Castells (1999) o conceito de rede para caracterizar a sociedade na Era da informação:

> [...] Rede é um conjunto de nós interconectados. Nó é o ponto no qual uma curva se entrecorta. Concretamente, o que um nó é depende do tipo de redes concretas de que fala¬mos. São mercados de bolsas de valores e suas centrais de serviços auxiliares avançados na rede dos fluxos financeiros globais. São conselhos nacionais de ministros e comissários europeus da rede política que governa a União Européia. São campos de coca e de papoula, laboratórios clandestinos, pistas de aterrissagem secretas, gangues de rua e instituições financeiras para lavagem de dinheiro na rede de tráfico de drogas que invade as economias, sociedades e Estados no mundo inteiro. São sistemas de televisão, estúdios de entretenimento, meios de computação gráfica, equipes para cobertura jornalística

e equipamentos móveis gerando, transmitindo e recebendo sinais na rede global da nova mídia no âmago da expressão cultural e da opinião pública, na era da informação. (CASTELLS, 1999, p. 566)

Finalmente entender a Sociedade em Rede é mais que fazer Antropologia e Sociologia, é também compreender os passos históricos que a sociedade está dando entrando em uma nova Era, que é fundamentalmente comprovado historicamente pelos padrões fundamentais da Sociologia.

Por exemplo, pode-se dizer que vivemos em uma nova era da civilização humana porque a relação Natureza e Cultura passam novamente por uma transformação.

Se por milênios se teve o modelo da dominação da Natureza sobre a cultura (exemplo da relação de gêneros: homossexualidade, sexismo e etc. que associa "os códigos da vida social às raízes de nossa identidade biológica") como se estuda em Antropologia. Depois desse modelo de ordem na civilização se teve a Era moderna industrial e racional com a dominação da Natureza, com uma via de mão dupla para a sociedade, se por um lado se liberta da submissão à natureza por outro se é submetido à opressão e exploração humana do industrialismo.

Depois da dominação da Natureza, e depois da dominação da Cultura sobre a Natureza agora se pode falar da Cultura por ela mesma. Onde a interação e organização social passam estritamente pela Cultura - até mesmo em termos de movimentos sociais pela preservação da Natureza antes se fala de modos de realizá-lo tendo como fim uma mudança nos hábitos culturais estritamente – por isso talvez a informação nunca antes na história tenha sido tão fundamental para a estrutura social.

Sendo assim a história começa a ser escrita a partir dos domínios absolutos da cultura, onde a sociedade por ela mesma finalmente tem autonomia para se organizar e se construir e desconstruir em relações de conflito consigo mesma, por isso não se pode ser tão otimista nessa nova era em relação a era de quando se estava em confronto com a Natureza pela sobrevivência. É apenas um momento outro e individual na história, do confronto da Cultura com ela mesma. (Exemplo não tão otimista de transição das eras: Massacre de Ruanda entre hutus e tutsis).

> [...] o início de uma nova era, a era da informação, marcada pela autonomia da cultura vis-à-vis as bases materiais de nossa existência. Mas este não é necessariamente um momento animador porque, finalmente sozinhos em nosso mundo de humanos, teremos de olhar-nos no espelho da realidade histórica. E talvez não gostemos da imagem refletida. (CASTELLS, 1999, p. 573).

Em outras reflexões alternativas sobre o Capitalismo e seus impactos na sociedade na Era da informação, na qual também se dirige o termo Globalização dentro de uma perspectiva marxista, encontra-se uma análise interessante que fala das contradições do Capitalismo e rumos, mais estritamente falando sobre seu momento de "crise". (MESZÁROS, 2009)

CIBERCULTURA E REDES SOCIOTÉCNICAS

O projeto sociológico já não pode mais escapar das nuances tecnológicas que influenciam os fluxos da Experiência humana no séc. XXI, como já foi visto em Castells (1999), portanto, o lugar de estabelecer esse projeto é o "ciberespaço", este entendido como:

[...] espaço social criado pela interconexão de diferentes tecnologias de informação e comunicação (TIC). Sendo um espaço social constituído simultaneamente pelas redes sociais que estabelecem culturas locais em seu interior e pelas redes técnicas que possibilitam essas conexões, o ciberespaço é um lócus conveniente para a reflexão sobre a relação entre cultura e tecnologia. (GUIMARÃES JR e col, 2004, p. 132-133)

Como já visto "o ciberespaço existe, e nada mais é que um constituinte de sociedade," (MAXIMO, 2010: 29-46) E nada mais pertinente que uma linha de estudos em antropologia para explicar com mais precisão as nuances metodológicas e teóricas de como esse espaço de redes se constitui na Era da informação que altera de modo efêmero as estruturas da dinâmica social.

Para tanto, os estudos do sociólogo tunisiano Pierre Levy estão dispostos a atender a essa função, a de entender de modo mais complexo e sistemático como as culturas em rede se organizam, seus limites teóricos e metodológicos, e em que medida pode se estabelecer relações de Poder, troca, exclusão social, e Experiência.

Cibercultura seria então definida como a cultura que surge a partir de uma rede de computadores ou aparelhos tecnológicos inteligentes com capacidade de comunicação virtual. Dentro dessa modalidade de estudos se tem identificado vários fenômenos sociais, novas formas de comunicação também surgem, como: jogos sociais, mídias sociais (através de sensores da atividade humana vídeo, imagem, áudio) geralmente incluindo as questões relacionadas à identidade, privacidade e formação de rede. (LEVY, 2010).

Quando se adentra ao Ciberespaço um termo é inevitável para se situar dentro das considerações sobre Cibercultura são as redes sociotécnicas. Que também podem ser interpretadas como objetos técnicos, em um contexto onde a tecnicidade é uma forma própria do homem de agir no mundo (SIMONDON, 2007 in SILVA, 2016, p. 12).

A rede sociotécnica é uma das formas de desenvolvimento de uma rede social, refere-se a ela como uma estrutura permeada pelas relações sociais e uma rede de computadores, porém, fala-se:

> Rede sociotécnica porque não se trata apenas de uma rede de computadores nem tampouco de um aglomerado de pessoas (Cebrián, 1999), mas de uma interconexão de seres humanos – uma rede social – possibilitada pelas tecnologias. Nela, tudo se dá de forma peculiar, inclusive as relações entre as pessoas. Bruno Latour (1994) define a estrutura das redes sociotécnicas, na qual o ser humano seria mais um nó numa estrutura não linear, sempre aberta a novos componentes. (in GUIMARÃES JR e col, 2004, p. 68)

Ou seja, a internet em sua capacidade viabilizadora e potencializadora das relações entre comunidades sociais a partir de objetos técnicos (tecnologia, computadores, smarthphones) torna-se uma rede sociotécnica autorreguladora, ou seja, pode ser lido também como um objeto técnico, pois, suas "conexões e os nós técnicos e sociais por ela formados lhe servem de sustentação e, ao mesmo tempo, são sua razão de existir". Tornando a rede autônoma a medida que as própria interação entre homem e a máquina tornam o objeto (tecnologia) algo naturalizado por meio de sua interação.

Nesse processo a interdisciplinaridade científica das questões sociais do Ciberespaço tem tomado propósitos diferentes dependendo da área de conhecimento. Considerando essa interdisciplinaridade pelas quais as tecnologias são concebidas, desenvolvidas e utilizadas atendendo tanto aos interesses comerciais, publicitários, administrativo, securitários como áreas afetivas e de identidade para construção de discursos e identidades políticas (Bruno, 2013, p. 8 in SILVA, 2016:11) com isso tem se percebido cada vez mais a presença nos discursos dos atores sociais que envolvendo tecnologia, mesmo assim tem sido uma área de pouca exploração das Ciências Sociais. Em especial o modo singular pelo qual a Antropologia deve-se dirigir seria de não averiguar a natureza material das tecnologias, mas as formas pelas quais as mesmas são utilizadas em cada contexto específico dos discursos dos atores sociais (GUIMARÃES JR e col, 2004).

Uma discussão contemporânea em muitas, se não em toda área do conhecimento científico, sobretudo no que diz respeito à tecnologia e sociedade tem-se como exemplos: as engenharias, ciências médicas e da natureza, e ciências humanas acompanhando os desdobramentos contemporâneos da tecnologia.

Exemplo: Engenharias que se ocupam da construção de "objetos técnicos", que são implantados em corpos humanos a partir de ciências médicas, e são tidos como parte do corpo humano, ou seja, naturalizados tornando-se "objetos naturais". Pois, "quanto mais à naturalização do objeto técnico maior é seu diálogo sinérgico com os grupos sociais.".

> O filósofo, ao analisar as condições da evolução da técnica ressalta que a evolução específica dos objetos não se faz de maneira absolutamente contínua nem de maneira completamente descontínua. É preciso considerar sempre o diálogo sinérgico entre essas duas formas: para o objeto técnico abstrato, a pluralidade de princípios e noções científicas. Para

o objeto técnico concreto, o sistema de causa e efeito, capaz de autoconservação e autorregulação. Esse diálogo sinérgico pode acontecer no próprio objeto, mas ele acontece de fato quando se torna presente e comum nas sociedades, quando é assimilado ao objeto natural e, em particular, ao ser vivo. O diálogo sinérgico acontece em sua máxima expressão quando o objeto técnico concreto deixa de ser algo estranho e passa a ser algo natural numa determinada época, numa dada sociedade. Em outras palavras, quanto maior for à naturalização do objeto técnico maior é o seu diálogo sinérgico com os grupos sociais. (SIMONDON, 1989:22 in COUTO, 2007, p. 6).

Essas são as reflexões do filósofo Gilbert Simondon. De um lado, a mecanização e a eletrificação do humano; de outro, a humanização e a subjetivação da máquina. Outras áreas da ciência como a Comunicação tratam mais das questões da mídia, controle de audiência, técnicas de manipulação de imagem em sentido mais técnico que reflexivo e teórico. Mais voltados para uso prático como as ciências Médicas também seguem, com estudos da anatomia humana para implantes nos corpos físicos, sendo que suas consequências sociais são avaliadas mais pelas ciências humanas, em Antropologia tem-se, por exemplo, Donna Haraway (1985) que fala dessa relação antropológica entre o corpo humano e seus implantes que o tornam um ciborgue.

Enquanto nas ciências humanas se tem discussões de como essas tecnologias estão impactando a sociedade como um todo em seus mais diversos espaços: economia (Antropologia do Consumo vai entender essa relação de trocas comerciais e seus desdobramentos simbólicos), dimensão público e privado, política e cultura (no que diz respeito até a territorialidade indígena, com discursos políticos que ferem os direitos humanos com argumentos sobre um índio deixar de ser índio porque faz usa de algumas tecnologias, por exemplo). Ciberespaço, sobretudo com abordagens na Filosofia e na Antropologia Social.

Toda essa interdisciplinaridade do conhecimento reflete em boa medida a transposição dos espaços físicos do conhecimento para o meio virtual, com ressalvas de como isso se configura, os interesses devem permanecer mais ou menos os mesmos em seus meios de atuação.

RELAÇÕES EPISTEMOLÓGICAS ENTRE "HOMEM" E "OBJETO"

Como já visto, as tecnologias de informação se caracterizam não somente pelo seu aspecto técnico, como também por seu caráter cultural, pois, são concebidas, utilizadas e resignificadas por uma rede humana. Mesmo assim as Ciências Sociais teve um histórico de resistência ao estudo delas, e esta relativa indiferença ao campo tecnológico deve-se em boa medida a debates calorosos ao longo do século XX sobre os termos epistemológicos que iriam dar rumo às investigações sobre a tecnologia.

A distinção entre homem e objeto é vista hoje epistemologicamente como uma pedra no caminho dos avanços do desenvolvimento em estudos sobre tecnologia, e remonta-se que tudo tenha origem pela noção de "impacto social das tecnologias".

[...] que dominou a atenção do campo sociológico pelo menos até os anos 1960 e que ainda exerce um importante papel no imaginário contemporâneo. Todavia, o início dos anos 1970 viram o surgimento dos Science and Technology Studies (STS), uma reação crítica às análises sobre tecnologia que não consideravam fatores históricos, sociais e culturais. Desde então tem se estabelecido um rico debate a respeito do determinismo tecnológico que fundamenta a noção de

impacto, através do que passou a se chamar social construti-
vismo (GUIMARÃES JR e col, 2004, p. 132).

Sendo assim a Antropologia em seu projeto epistemológico de estudo das comunidades virtuais, mesmo sendo herdei-
ra de parte do pensamento sociológico, deve considerar os processos simbólicos dessa relação homem e objeto, o que não se
mostra uma tarefa simples já que remonta um histórico desde
o século XX com críticas que se mostraram rígidas e não flexí-
veis a entender a tecnologia como algo cultural, e sim rigidamente restrita a um campo de estudos onde se tinha a distinção
em dois campos de um lado o homem e do outro a tecnologia
a fim de se estudar quais seriam os "impactos" da tecnologia na
sociedade, ou seja, não se considerava como objetos de investigação científica que pudessem se aglutinar de alguma maneira.

A fluidez das relações entre cultura e objeto, no entanto, no que se refere à Antropologia pode ser um pouco mais
esclarecida de forma em Donna Haraway (2000), quando es-
creve sobre uma crítica marxista e relações de gênero para as
feministas na metade do século XX e mostra pensamentos tão
à frente de seu tempo e interconectados com a Era da informação que estava por se revelar décadas mais tarde ainda de
maneira mais evidente sobre a relação máquina e homem e sua
distinção quase que obsoleta. (HARAWAY, 2000)

Um estudo etnográfico recente mostrou que a complexidade que existe entre as redes sociotécnicas e os seres humanos
enquanto fenômenos para serem analisados em Cibercultura
tornam-se obscuros quando se coloca como proposta de investigação uma relação de distinção entre as partes.

Apesar de seus méritos epistemológicos que já foram considerados nesse sentido de investigação científica esclarecedores sobre algumas questões, como por exemplo, em Gilbert Simondon (1958) sobre "o modo de existência dos objetos técnicos" quando fala da relação do "homem" por um lado e do outro a "técnica" a máquina, de um lado, a mecanização e a eletrificação do humano; de outro, a humanização e a subjetivação da máquina, entre outras contribuições na área científica.

Portanto, considera-se finalmente que se mostra de modo mais pragmático o estudo da cultura em rede a partir de uma perspectiva epistemológica que não se faça uma barreira rígida de distinção entre cultura e a tecnologia, pois, eles se confundem e se misturam de maneira abrupta no ciberespaço das relações. (GUIMARÃES JR e col. 2004).

RELAÇÕES DE TRABALHO E A EMPRESA ELETRÔNICA

Na nova Era da informação o "capital é global" e o "trabalho é local" ele explica através do conceito já visto aqui de informaconalismo, que seria basicamente um novo modo histórico de desenvolvimento, assim como a era moderna teve como base a indústria, a era da informação tem como base a informação e seu desenvolvimento tecnológico.

Nesse processo de desenvolvimento informacionalista a concentração e globalização do capital é feita através do emprego do "poder descentralizador das redes", ou seja, a confusão abrupta que se faz para distinguir quem são os novos "detentores dos meios de produção, senhores capitalistas" e quem são a nova "classe trabalhadora".

No seu último capítulo de "A sociedade em Rede" ele fala que os trabalhadores e capitalistas recebem uma nova ordem, passam por um processo de reestruturação em função dessa mudança estrutural que o modo capitalista passou do modo de desenvolvimento industrial para o modo de desenvolvimento informacionalista, onde neste...

> Os trabalhadores perdem sua identidade coletiva, tornam-se cada vez mais individualizados quanto a suas capacidades, condições de trabalho, interesses e projetos. Distinguir quem são os proprietários, os produtores, os administradores e os empregados está ficando cada vez mais difícil em um sistema produtivo de geometria variável, trabalho em equipe, atuação em redes, terceirização e subcontratação. (CASTELLS, 1999, p. 567-569).

Problematiza a relação de tempo e espaço, pois, o tempo instantâneo de redes computadorizadas estão antagonicamente organizadas em relação ao tempo cronológico da vida cotidiana das formas de trabalho da era moderna.

Outra característica é a dependência de trabalhos cada vez mais "genéricos acumulado" e menos da mão de obra especializada que tanto se viu em Max Weber (1904), desta vez os grupos que operam os "palácios virtuais" são aqueles desenvolvedores de software, designer de microchips, (CASTELLS, 1999, p. 567) e porque não falar da categoria que vem chamando a atenção das mídias eletrônicas e sua influências nas redes globais? Os influenciadores digitais que vamos ver no próximo subtítulo deste trabalho.

E quem seriam os senhores capitalistas nesse outro modo de desenvolvimento capitalista?

[...] os capitalistas em si estão distribuídos de forma aleatória, e as classes capitalistas ficam restritas às áreas específicas do mundo onde prosperam como apêndices de um poderoso turbilhão que manifesta sua vontade mediante pontos de spread e classificações de opções de futuros nos flashes globais das telas de computadores.

Ou seja, os detentores dos novos modos de produção estão espalhados aleatoriamente pelas redes de informação. E nesse sentido torna-se embaraçoso a investigação de exploração de trabalho se esse ocorrer devido a falta de instituições que regulem esse processo, nesse sentido mais uma vez se torna tão central o papel investigativo das Ciências Sociais nesse campo tecnológico das relações sociais.

As empresas também passam por um processo diferenciado estruturalmente e não somente o trabalho tem sua morfologia geneticamente alterada. Além de organizarem-se agora em redes sociotécnicas de informação, tanto na parte burocrática (organização, distribuição, gerenciamento e produção) como também podem ser observados os relacionamentos pessoais, também se fala das formas precárias que o trabalho pode tomar, entre tantas outras questões mais profundas que este trabalho não pode tomar mais tempo. Portanto, atenta-se apenas a questões mais gerais para se entender o objeto deste estudo. Ver se a empresa em termos de sua "cultura, instituições e organizações da economia informacional" de forma mais específica a partir do capítulo 3 de "Sociedade em Rede" (CASTELLS,1999, p. 209-259).

Quando se fala da transição do modo de desenvolvimento capitalista industrial para o informacional, fala-se também da transição do Trabalho Fabril para a nova configuração de Trabalho em Rede.

Nesse contexto, a centralidade é da empresa diferente de era moderna onde a fábrica era a instituição fundamental na produção das mercadorias e consequentemente a protagonista das relações de trabalho. Agora empresa concebe a inovação, pesquisa, desenvolvimento, comunicação, marketing e design das mercadorias, sem, no entanto não provocar o desaparecimento da fábrica, porém, esta agora subordina o seu papel a empresa, e ainda assim elas podem se unir como nos exemplos de grupos empresariais (LAZZARATO, 2006).

> Se na Modernidade sólida a fábrica era o modelo dominante — sendo que as 190 atividades da empresa lhe eram subordinadas —, hoje ocorre o contrário. O fluxo moderno produção-venda, na lógica atual inverte-se e torna-se venda produção (BAUMAN, 2007: 99 in SARAIVA e col., 2009, p. 189-190).

Ou seja, nas palavras de Bauman (2007) na teoria da modernidade líquida o ciclo se inverte primeiro se vende e depois se produz a mercadoria. Tendo também desdobramentos no lugar do espaço que de cada uma ocupa:

A fábrica, como instituição paradigmática da economia capitalista, situa-se do lado da Modernidade sólida. Ela pertence a uma economia baseada em máquinas e em prédios, com uma presença espacial marcante. A empresa situa-se do lado da Modernidade líquida: as pesadas máquinas termodinâmicas dão lugar aos elegantes equipamentos digitais, dispostos em conjuntos comerciais que impressionam mais pela arquitetura imponente — "mas decididamente não acolhedores, [...] destinados a serem admirados a distância", do que pelas dimensões. Enquanto a fábrica mantinha um vínculo forte com a localidade onde estava, principalmente por sua forte dependência em relação aos trabalhadores que aí habitavam a empresa como que flutua no ciberespaço, tendo apenas uma frágil ancoragem num ponto do espaço material. (BAUMAN, 2007: 99 in SARAIVA e col., 2009, p. 189-190).

A categoria de trabalhadores virtuais, se é que assim podem ser chamados, os Influenciadores Digitais – próximo subtítulo – pode ser um exemplo didático dessa relação empresa e fábrica.

Também podendo ser interpretada em outras medidas "como decorrente dos 14 processos que ocorrem no mundo atual" quando se tem uma tendência de pessoas trabalhando e administrando serviços nos negócios empresariais eletrônicos, a "empresa eletrônica", de essência técnica da conexão em rede, porém, interativa as relações humanas entre "produtores, consumidores e prestadores de serviços" (CASTELLS, 2003).

Nessa divisão das forças constituintes de trabalho e empresa vamos ver até onde os influenciadores digitais configuram essa potência enquanto trabalho e empresa a ser investigada pelos cientistas sociais.

INFLUENCIADORES DIGITAIS

Os influenciadores digitais são lidos pela pesquisadora como uma potencialidade de investigação das questões de relações de trabalho e empresa eletrônica, dentro do processo de modo de desenvolvimento informacionalista do sistema capitalista, que pode ser avaliado a partir dos paradigmas de investigação antropológicos de etnografia em ciberambientes numa perspectiva de cultura em rede – Cibercultura- sem a intervenção de correntes teóricas que separem rigidamente os objetos de pesquisa "homem" e "tecnologia".

Situando teoricamente o homem e tecnologia num sistema onde a mídia exerce um papel de influência maior que na era moderna, sendo agora as redes sociotécnicas de informação e sua relação mais do que nunca ligada à semiótica e imagem, mas também a discursos escritos, criptografados, e até em formas sensoriais como áudio.

De qualquer forma a mídia é parte deste novo sistema de organização da Experiência humana – enquanto interação entre as identidades biológicas e culturais desses sujeitos em relação a seus ambientes sociais e naturais (CASTELLS, 1999:51) – como parte disso ela é mais que um objeto que transmite ideologia, através de redes sociotécnicas. Ela é também é um "instrumento de direcionamento ou de criação de subjetividades no homem" ou melhor, seria um conceito de "bios midiático" que chamaria Sodré (2009) se referindo a essas subjetividades que surgem ou são moldadas e tornam-se dependentes, sedentas por informações e tecnologia" cada vez mais.

Em termos mais didáticos a mídia clássica situava-se em torno da televisão onde se lia a realidade de acordo com nosso conhecimento previamente adquirido culturalmente, o que muda com a relação problemática que a tecnologia pode trazer como potencialidade cultural. Sendo agora as redes de tecnologia responsáveis por quase todo conhecimento adquirido culturalmente em sociação em rede, que são constituídas de regras sociais advindas do consumo e do cenário tecnológico informacional mais geral, e em função disso é que se vive. (SODRÉ, 2009)

Segundo Sodré (2009) os influenciadores digitais são constituintes de bios midiática, enquanto um objeto que transmite ideologia através de redes sociotécnicas de informação, direcionando e criando subjetividades. No entanto, aqui se insere uma crítica a essa ideia de "direção e criação de subjetividades", pois, elas não direcionam nem criam, estão mais para propositores de novos significados ou reafirmadores de sentidos ja conhecidos. O receptor não é passivo. Eles fornecem elementos para o receptor mas não determinam ou criam nele desejos. Existindo assim, uma relação de interação.

Então justificando sua relação com empresas e o consumo, pode-se se dizer que os influenciadores digitais estão cada vez mais sendo procurados por empresas para divulgar suas mercadorias. Uma pesquisa recente também confirma que " 92% dos usuários confiam mais em recomendações de outras pessoas - mesmo as que não conhecem - do que em conteúdo publicitário da própria marca", com todas as ressalvas que possam existir da problematização dessa relação, pois, as vezes ainda se tem uma relação de conflito entre consumidores, marcas e esses influenciadores que burlam regras do Conselho Nacional de Autorregulamentação Publicitária (Conar) como no exemplo do Caso Thássia Naves[2], uma das maiores influenciadoras digitais brasileiras.

Com seu potencial de engajar o público, esses profissionais tem responsabilidades outros estudos apontam que "23% dos pais confiam mais em influenciadores online para tomadas de decisão". Independente da credibilidade da pesquisa, já é uma realidade se comunicar com o público jovem e ver como que as atrizes da mídia da TV novelas, reality, por exemplo, estão perdendo espaço nos discursos dos consumidores, especialmente mulheres, que é o público do objeto de pesquisa deste trabalho. (PENNACCHIA, 2016).

---

2 Blogueira de origem mineira (Uberlândia) que possui atualmente o blog mais acessado do país segundo Ranking Alexa, e é considerada no meio da Moda, por exemplo, revista Glamour Espanha, como uma das 25 mulheres mais influentes do mundo da moda.

Portanto, é importante entender o conceito de influenciador digital, na medida que este é constituído e contribui para a constituição de identidades sociais em rede, e que estas podem estar em boa medida interligadas a experiências de consumo ou mesmo de identidades sociais, ou seja, mais uma vez enfaticamente se torna uma opção de investigação científica para cientistas sociais da contemporaneidade.

O conceito de influenciador digital reside no que se refere a pessoas que se destacam nas redes sociotécnicas e possuem a capacidade de atrair, reunir e mobilizar um grande número de seguidores (público). Estes pautam sua opinião, estilos de vida, experiências, e preferências pessoais, geralmente se tornando mais específicos em alguns assuntos dependendo de sua audiência. Por exemplo, podem falar de livros, maquiagens, cosméticos, música, cursos livres, moda, crítica social, tecnologia, até mesmo conteúdos restritos a entretenimento como vídeos de música e humor.

Geralmente a origem dos influenciadores digitais vem de um termo bastante usado por esse tipo de cultura em rede que seria o de "viralizar" para caracterizar conteúdos que tiveram bastante acesso, credibilidade ou notoriedade na grande rede da internet e que, portanto, os protagonistas percebem a relevância e começam daí a produzir mais conteúdos nesse sentido.

Devido ao excesso de informação em rede as empresas preferem investir no que se chama de Influencer Marketing, ou Marketing de influência em tradução livre, enquanto "a maneira pela qual as empresas recompensam celebridades e estrelas das mídias sociais para criar conteúdos em prol das marcas, gerando endosso – e, assim, influenciando pessoas" (VIEIRA, 2016) para se referir a esses influenciadores da opinião dos consumidores segundo seus nichos de produção de conteúdos.

Um dos tipos mais comuns de influenciadores digitais são os YouTubers, personagens que se dedicam a criação e manipulação conteúdos na plataforma YouTube de compartilhamento social de vídeos (SILVA, 2016: 5-6) que em boa medida podem ser "monetizados" rentabilizados tendo um conteúdo original sem direitos autorais de terceiros. E é tido como uma profissão gerando grandes receitas, sendo um dos maiores cases de sucesso o youtuber Felix Arvid Ulf Kjellberg do canal PiwDiePie com mais de 50 milhões de inscritos até 2016 sendo que sua fortuna foi especulada em aproximadamente 12 milhões de dólares ao ano, cerca de R$ 45,5 milhões de reais na atual cotação.

Esses profissionais geralmente não se restringem a uma rede sociotécnica de interação na maioria das vezes, por exemplo: Snapchat, Facebook (Fan Pages), Instagram, Youtube e etc. No entanto, representam maior expressão em termos estatísticos em número de seguidores geralmente em uma, ou até duas delas, e no máximo três, embora sempre tenham todas elas interligadas para abranger maior público.

Existem vários tipos de influenciadores que se diferenciam de acordo com o conteúdo produzido: A celebridade contém um público maior que a média. A autoridade possui opinião forte. O conector faz pontos e cria links; A marca pessoal é aquele que o nome é uma espécie de marca, também conhecido como brands; O analista formula e comunica ideias credíveis; O ativista seria mais envolvido com mobilizações; O expert especializado em uma área; O insider respeitado e bastante envolvido no meio; O disruptivo promove debates; O jornalista tem compromissado com a divulgação de informações ou notícias. (WIKIPÉDIA 21 julho 2017).

As webs celebridades momentâneas também podem ser confundidas com influenciadores digitais, mas são diferentes em ordem funcional, uma vez que os influenciadores se mantêm na mídia e produzem conteúdos e uma relação de interação em maior grau com seus seguidores orgânicos, pois, dependem dessa relação para avaliar seus conteúdos e saber a direção das próximas produções. Enquanto que as webs celebridades escorrem para seus programas de atividade social como: cantores, artistas, atletas e etc. que podem usar as redes sociotécnicas apenas como uma ferramenta de apoio e contato relativamente direto com o público, mas não se dedicam a essa rede como único meio de subsistência.

Sobre os conteúdos encontrados em rede destacam-se os nichos de assuntos voltados para: Jogos, Vida Fitness, Culinária, Jornalismo, Entretenimento do tipo de humor, conhecimentos gerais, Esportes e finalmente os conteúdos sobre Moda e Beleza com ênfase em dicas de "moda, beleza e estilo" tendo a estética técnica como um dos norteadores para busca de conteúdos na web, por exemplo, aprender a se maquiar, críticas a técnicas e cosméticos, etc.

Os mais importantes influenciadores digitais por número de seguidores e acessos do Brasil e do mundo são: PewDiePie - Felix Arvid Ulf Kjellberg sobre jogos para YouTube sueco representa 49 milhões de inscritos em seu canal; The Blond Salad um blog de moda criado pela italiana Chiara Ferragni, que atualmente é considerada a blogueira de moda mais influente do mundo (WIKIPÉDIA 21 julho 2017). Com 5 milhões de seguidores no Instagram e 1,2 milhões de fãs no Facebook. Gabriela Pugliesi blogueira brasileira de 30 anos que aborda assuntos do mundo fitness, e atualmente soma 2,9 milhões de seguidores no Instagram. Da categoria humor, preferida dos jovens brasileiros Whindersson Nunes detentor do maior canal do Youtube Brasil com cerca de 12 milhões de seguidores e também faz palestras, aparições artísticas. E finalmente o Manual do mundo - Canal do youtube de entretenimento educativo que mostram experiências e curiosidades. Criado por Iberê Thenório e Mariana Fulfaro. Possui 7 milhões de inscritos e mais de um bilhão de visualizações. A categoria tem sido tão relevante para a mídia que em 2016 a CECOM - Centro de Estudos da Comunicação organizou uma premiação com 17 categorias para reconhecer influenciadores digitais, escolhendo os candidatos através do Facebook Audience Insights e Google Adwords. (WIKIPÉDIA 21 julho 2017).

Como se percebe geralmente esses influenciadores usam geralmente as redes sociotécnicas principais: Youtube e Instagram, e pela experiência da pesquisadora com o objeto pode-se afirmar que essas redes sociotécnicas passam por um processo de estetização, para ficarem mais simpáticas para o público consumidor de conteúdos. É como se fosse basicamente uma empresa em forma de marca que os influenciadores usam, geralmente com nomes fantasias ou seus próprios nomes. De qualquer forma essas empresas eletrônicas configuram uma relação de trabalho que envolve na maioria das vezes outros profissionais como: para a produção de artes gráficas para os vídeos e capas de apresentação do canal do Youtube ou fan Page no facebook eles podem solicitar um profissional da área da publicidade ou marketing para estar cooperando com essa produção de imagem midiática. Mas existem outros exemplos, que podem se apresentar na etnografia deste trabalho. Mas a questão central é que esse processo de trabalho configura a Mao de obra "desagregada no desempenho" e "reintegrada no resultado" de que falou Castells (1999), configurando uma multiplicidade de tarefas interconectadas em diferentes locais (espaços virtuais). Ele chama de nova divisão do trabalho centralizada antes nas capacidades de cada trabalhador que na organização de tarefas como seria na era moderna do modo de desenvolvimento industrialista do sistema capitalista. (CASTELLS, 1999: 567).

Considera-se finalmente sobre este capítulo da Tecnologia e Sociedade, que a Cibercultura e redes sociotécnicas de informação são fundamentais para se pensar a Era da informação de modo de desenvolvimento informacionalista do sistema capitalista, onde os moldes das relações de produção, poder, e experiência (identidades sociais) podem ser estudados pelas Ciências Sociais de maneira mais pragmática considerando uma epistemologia que não separa o "homem" e o "objeto", entendido como tecnologia, não deixando de considerar também que a perspectiva que separou a "cultura" da "tecnologia" também apontou considerações em boa medida importantes no século XX na Sociologia para se pensar os "impactos", se é que pode-se falar, das tecnologias sobre a sociedade.

E ainda que as relações de trabalho a partir do conceito de empresa eletrônica fazem parte de uma nova configuração social estrutural total qual molda as relações de trabalho como mais embaraçosas no sentido de definir as classes trabalhistas e os detentores do capital, meios de produção que eram identificados mais claramente na era moderna. E essa relação pode ser mais bem ilustrada pela profissão contemporânea qual foi descrita como Influenciadora Digital. Estes aparecem numa análise descritiva com fundo teórico construído a se pensar enquanto uma alternativa de objeto de investigação científica das Ciências Sociais, tendo como ponto de partida como sugestão a crítica em torno da credibilidade destes no espaço virtual enquanto bios midiático; enquanto um objeto que através de redes sociotécnicas de informação podem estar transmitindo para o Ciberespaço as interações já existentes no mundo real.

Pois, "atualmente cerca de 80% do tráfego online está atrelado a algum tipo de influenciador" onde a Internet desempenha um papel que por boa parte do século XX foi da Televisão, como principal meio de comunicação de massa:

> [...] segundo pesquisa realizada pela IMS Internet Media Services aponta que cerca de 82% dos brasileiros consomem vídeos sob demanda e 73% assistem à TV aberta e mesmo os que assistem televisão assistem por menos tempo que os internautas. (SILVA, 2016, p. 8).

O aumento do público dos influenciadores digitais fez com que as marcas e empresas procurassem cada vez mais ele do que outras mídias como a televisão. Porém, às vezes a disseminação de informações podem se consideradas falsas ou provenientes de fontes duvidosas, e com a falta de verificação acerca da credibilidade os usuários desses conteúdos em redes sociotécnicas de informação ficam vulneráveis a conteúdos em massa sem confiabilidade das informações. Sem falar nos conteúdos etiologicamente preparados para consumo que não têm às vezes legislação que controle sua manipulação e veracidade para o público.

Por isso, se faz necessário a presença das Ciências Sociais no Ciberespaço para investigar relações de troca, consumo, ideologia, gênero, identidades, bem como produção, experiência e poder como já anunciado.

ETNOGRAFIA EM CIBERAMBIENTES

Sobre a relação objeto e pesquisador e os motivos que influenciaram na escolha do objeto e sua justificativa dispõe-se no seguinte breve relato: A autora deste trabalho enquanto pesquisadora se dispôs a vivências e experimentações humanas no Ciberespaço desde 2007. Mais especificamente as redes sociotécnicas que tomam conta da imagem como preponderante na vida virtual e suas influências, a pouco menos de 5 anos em 2012 quando ingressou nesta universidade e despontou-se a necessidade de trabalho no meio urbano para desenvolver subsistência para continuar os estudos na capital. Desde então as redes sociais têm passado por transformações, e seu crescimento e aderência de um expressivo número de corpos consumidores levaram a pesquisadora a investir na imagem em rede para criar conteúdos, a fim de atender as novas exigências de mercado de serviços, por exemplo: Enquanto maquiadora profissional não bastava ter apenas um curso ou práticas na área, só se efetivou relações de troca comerciais quando se apresentou conteúdos virtuais ao consumidor final, o que é chamado de portfólio. Geralmente os portfólios são exibidos nas principais plataformas: Instagran e Facebook, podendo também servir como suporte YouTube, Sites e Blogs.

Nesse período de vivências se experimentou um pouco dos temas que as Ciências Sociais traziam dentro do contexto do Ciberespaço, porém, houve uma percepção ao longo de quase todo período da graduação (média de 4 anos) a ausência de linhas de pesquisas voltadas apenas para o tema Ciberespaço e suas contribuições sociais no mundo, apenas no último que se teve contato com a pesquisadora professora Drª Patrícia Pavesi na UFES (Universidade Federal do Espírito Santo) onde puderam ser colocadas em pauta a relação de vínculo que poderiam ter esses objetos Maquiagem e Tecnologia com a área de graduação Ciências Sociais, a fim de promover estudos sobre as influências desses objetos nos diversos temas abordados e revisados em Antropologia e Sociologia especificamente.

No entanto para tomar investigações sistemáticas do objeto e seu contexto foi necessário um período de um semestre de estudos orientados com suporte bibliográfico científico para o aporte investigativo, juntamente com experimentações de vida virtual nas redes sociotécnicas da pesquisadora, o que é justificado nos estudos do canadense Robert Kozinets (2007) pioneiro no método netnográfico. "O pesquisador quando vestido de netnógrafo, se transforma num experimentador do campo, engajado na utilização do objeto pesquisado enquanto o pesquisa" (KOZINETS, 2007).

No entanto, aqui se faz uma crítica a pensamentos como os de Kozinets (2007), pois, a insuficiência dos autores das outras áreas do conhecimento como administração e áreas de tecnologia que podem usar termos como: etnografia virtual, netnografia, etnografia digital e etc. podem cair na redundância de estudar grupos sociais permeados por computadores, no entanto a diferença que faz entre a etnografia propriamente dita em Antropologia é o método. Pois, o conceito de estudar grupos em ambientes virtuais em Antropologia é muito mais denso, consiste em um trabalho sistemático com diários de campo, estabelecimento de relações, seleção de informantes, transcrição de textos, mapear campos, e etc. (GEERTZ, 1978:15) essa é a diferença fundamental. Não existe um método "novo" existe uma metodologia dentro de Antropologia que se desenvolveu por séculos e que será aplicada a um espaço outro da experiência humana, que é o Ciberambiente, e que não pode ser reduzida a uma análise imediata da administração ou marketing que leva em conta dados estatísticos em sua maioria, pois, isso é insuficiente do ponto de vista teórico para analisar interações entre grupos sociais, um exemplo é o Norbert Elias (1965) quando escrever sobre a análise configuracional dos "Estabelecidos e os Outsiders" para marcar a insuficiência das análises estatísticas para descrever fenômenos sociais.

Sobre o objetivo central dessa análise se destaca criar uma agenda de conteúdos das redes sociotécnicas que poderiam servir de como objetos de estudos para pesquisadores da área de Ciências Sociais, para o desenvolvimento epistemológico das novas performances do trabalho etnográfico em rede tendo como centralidade a perspectiva antropológica, onde o homem enquanto objeto de estudo da mesma antecede a relação máquina e objeto, para que se possa averiguar em que medida se dá as relações entre os mesmos nos próximos estudos de Cibercultura.

A justificativa para tanto seria a necessidade como já foi lembrado da introdução das ciências humanas nessa área de estudos que faz cada vez mais parte da Experiência humana modificando suas relações de Poder e Produção, inserida numa arena maior do sistema capitalista que passa por uma mudança estrutural na Era da informação com características próprias advindas do modo de desenvolvimento informacionalista.

Como objetivos específicos, separou-se pelo menos dois: sugerir atores sociais que podem servir de objeto de estudo para próximos avanços nessa linha de pesquisa, mostrando um pouco das categorias eletivas em Ciências Sociais presentes nos discursos desses atores políticos em rede. Pois, "muitos objetos de estudo localizam-se no ciberespaço" (ROCHA e col., 2005:

01) e acredita-se que esses atores sociais e seus discursos possam servir como aparato de pesquisa para os cientistas sociais dessa Era da informação de modo de desenvolvimento informacionalista do sistema capitalista.

E o segundo objetivo específico justifica-se no objeto de análise central desse estudo: A Maquiagem enquanto objeto técnico de uso instrumental das Ciências Sociais no que se refere aos seus conteúdos quantitativos e qualitativos que podem ser usados como fonte de pesquisa dado a importância deste objeto para se pensar relações de gênero, discurso político estético em rede, relações de consumo na perspectiva antropológica, potencialidades do corpo enquanto técnica, corpo como marcador social enquanto prótese do humano (ciborgue), e discussão de relações étnicas sociais. Ou seja, propõe-se como segundo objetivo específico também promover essa agenda de pesquisa para servir como direção de pesquisa etnográfica em redes sociotécnicas, e sugerir algumas interpretações que sirvam de base para os próximos cientistas sociais para críticas construtivas ou desconstrutivas, seja como for, que sirvam como bateria, carga em material a ser processado enquanto objeto científico por envolver tanto das recentes ações sociais da Era informacionalista.

Finalmente que a diversidade de discursos políticos-visuais nas redes sociotécnicas que fazem uso instrumental da maquiagem, possam ser avaliados pela triagem de relações dos discursos enquanto temas ricos em discussão das Ciências Sociais.

A metodologia empregada foi a Etnografia virtual . Porém, vai se abordar neste trabalho a perspectiva antropológica, pois, em comunicação e admnistração o termo é reduzido para ou ciber-etnografia (WARD, 1999) e ainda etnografia digital

(NOVELI, 2010), para se referir a pesquisas baseadas na Web ou Web-based research (MKONO, 2011) e também netnografia. E existe todo um debate sobre, por exemplo:

O termo netnografia foi usado pela primeira vez em 1995 como resultado de uma simples aglutinação dos termos (nethnography + net) netnografia e rede em tradução livre. No entanto, por se tratar de um neologismo "na reflexão dos principais estudiosos da comunicação em rede às práticas e metodologias de pesquisa são pouco explicitadas e discutidas" (SÁ, 2002, p. 155). Talvez por esse motivo a administração e marketing reserve o termo enquanto em antropologia e ciências sociais o uso mais comum é de "etnografia virtual" (AMARAL; NATAL; VIANA, 2008: 34).

No entanto, na tradição antropológica com o método é o bem supremo, para Geertz, a etnografia é "menos um conjunto de técnicas e procedimentos" e mais efetivamente uma "descrição densa" de determinada cultura:

> [...] praticar a etnografia é estabelecer relações, selecionar informantes, transcrever textos, levantar genealogias, mapear campos, manter um diário, e assim por diante. Mas não são essas coisas, as técnicas e os processos determinados, que definem o empreendimento. O que o define é o tipo de esforço intelectual que ele representa: um risco elaborado para uma "descrição densa", tomando emprestada uma noção de Gilbert Ryle. (GEERTZ, 1978, p. 15).

Portanto, insere-se nessa análise o termo etnografia em Ciberambiente entendida como uma "descrição densa" dos aspectos socioculturais permeados por redes sociotécnicas, envolvendo vários aspectos qualitativos como: seleção de informantes que aqui seriam os influenciadores digitais, transcrição de textos que neste trabalho é um pouco ausente essa função em detrimento do tempo, mapeamento de campo enquanto se tratando da descrição que será feita sobre os aspectos do ciberespaço e as especificidades que serão analisadas nesse processo a partir da familiaridade da pesquisadora com seu objeto, e neste trabalho estará ausente também um diário de campo ultra sistemático, o que se pretende desenvolver nos próximos trabalhos científicos, reservando a este apenas uma revisão bibliográfica e conceitual a cerca do objeto de estudo maquiagem e seu contexto que também pode ser objeto para próximas pesquisas: o ciberespaço.

Em todo caso a velocidade em que as redes sociais evoluem torna-se mais desafiador a empreitada de acompanhar as mesmas com os mesmos métodos e sistema de ferramentas científicas. Ainda que as áreas do conhecimento tenham deslocamentos de seus aparatos teórico e metodológicos entre si para investigação de comunidades nas redes virtuais, esse uso se faz constantemente atualizado a uma velocidade em que não mais se fazia nos grupos étnicos da antropologia clássica, principalmente no que se refere ao tempo e espaço. Tem-se como exemplo o instrumental comumente usado na comunicação de "análises quantitativas e estatísticas (webmetria, número de links, etc.), Análise de Discurso (AD), Análise de conteúdo (AC), e Análise de Redes Sociais". Este último estudo foi concluído para falar de redes sociais referenciando a extinta rede social Orkut (RECUERO, 2006) menos de três anos depois surge um estudo sobre outra suposta "rede social", que tem características completamente diferentes das últimas atualizações do conceito de rede social, que foi sobre a empresa Youtube (BURGESS e GREEN, 2009:6) que por sua vez vem sendo considerada como rede social por seu uso funcional, enquanto em conceito é uma simples plataforma de compartilhamento de vídeos, mesmo que haja interação constante entre seus usuários. E ainda existem sites, e outros espaços on line que em conceito não são redes sociais, e que, no entanto apresentam essa proposta de interação de outras formas.

Inserindo-se no campo de pesquisa do ciberespaço foram adotadas posturas descritivas para que o pesquisador pudesse esclarecer o espaço etnográfico como na tradição antropológica, descrevendo resumidamente alguns dos principais símbolos e suas linguagens específicas de cada grupo, enquanto abordagem de amostra qualitativa (FRAGOSO e col. 2015:68 In SILVA, 2016:20).

A coleta de dados se deu a partir de postagens que os influenciadores digitais postavam em suas redes sociotécnicas enquanto bios midiática que a pesquisadora selecionou a partir de sua Experiência em rede enquanto Cientista Social e Maquiadora profissional – para descrever a relação objeto pesquisador. Sendo assim foram escolhidos os mais relevantes bios midiáticos segundo o critério de avaliação quantitativo em termos do número de seguidores nas redes sociotécnicas, e avaliação qualitativa, ou seja, influenciadores digitais que atendessem os dois objetivos específicos da etnografia virtual que são: atores sociais em redes sociotécnicas que compartilham de discursos que são abordados em Ciências Sociais, e influenciadoras digitais, bios midiática que possuem discursos que podem ser avaliados também pelas ciências sociais, porém, mais especificamente dentro do objeto de maquiagem levando em consideração os temas de análise e discussão sobre etnia, gênero, e consumo para averiguar em que medida usa o corpo como marcador social político.

Esses grupos de influenciadores digitais foram analisados por tempo indeterminado, pois, fazem parte da Experiencia da pesquisadora, porém, mais especificamente mais que um semestre e menos de cinco anos.

DESCRIÇÕES DO CIBERESPAÇO

Sobre a descrição do Ciberespaço aqui se reserva uma análise sucinta de internet e justificativa de seu estudo para as Ciências Sociais, especialmente Antropologia e posteriormente uma brevíssima descrição dos aspectos mínimos para se entender como funcionam algumas interfaces das redes sociotécnicas que se vai abordar na descrição etnográfica dos atores sociais enquanto bios midiática.

Tendo em vista a gama de informações cada vez maior que as sociedades contemporâneas vem trocando, surgiram outras tecnologias a fim de dar vazão a essa demanda ascendente e suas possibilidades.

Neste contexto de aceleração nos processos humanos que se insere a internet. Sobretudo na segunda metade do século XX, como "base material de fluxos de informação recriando as formas de organização social, econômica, política, simbólica e interacional."

> As descobertas tecnológicas ocorridas principalmente nos anos 60 e 70 nos Estados Unidos possibilitou uma verdadeira revolução informacional. Tais descobertas, como o microprocessador, os avanços nas telecomunicações, o crescente mercado de microcomputadores que estimulou a produção de novos software, a ligação em rede dos computadores possibilitando a world wide web (WWW), foram cruciais para remodelar a base material da sociedade. (CASTELLS, 2011 in SILVA, 2016, p. 27).

Considera-se inclusive determinante em alguns dos modos de pensar, agir e sentir no que diz respeito à formação de identidades, criação de subjetividades e com isso outros modelos de negócios, e relações de consumo.

A partir desse outro modo de se pensar as demandas de consumo, surgem novas profissões pela própria reorganização do trabalho social, como por exemplo, os YouTubers e influenciadores digitais em sentido mais amplo como já foi visto, que são identidades produtoras de conteúdo na plataforma YouTube de compartilhamento de vídeos. (SILVA, 2016, p. 8)

> Com as tecnologias de informação e comunicação e os espaços de socialização na internet, as redes sociais, novas formas de interagir com o mundo vem surgindo. Os intensos fluxos de informações moldam as vidas dos indivíduos e se fazem presentes em seus cotidianos. Estudar os processos que ocorrem no meio virtual a cada dia se tornam mais cruciais para entender o mundo atual em que vivemos. (SILVA, 2016, p. 12)

Segundo Simondon em "O modo de existência dos Objetos Técnicos" (2007 in SILVA, 2016:12) "um objeto técnico que foi criado pelos humanos requer manutenção para garantir sua existência", portanto, o YouTube para além dessa plataforma de compartilhamento de conteúdo em vídeo e interação social, é entendido também como objeto técnico do homem, assim como outras redes com códigos de linguagens e interfaces próprias, que coexistem e se complementam em conteúdo como: Instagran, Facebook, Sites e Blogs configurando um panorama de relações sociais virtuais onde se encontra diferentes modelos de negócios e formatos consumos.

Portando, o Ciberespaço existe, e nada mais é que um constituinte de sociedade, (MÁXIMO, 2010 in SILVA, 2016, p.

28) deste modo, seus símbolos, fronteiras com o real devem ser investigados pelos cientistas sociais da contemporaneidade enquanto um desafio metodológico, abrindo espaço para diálogo desse outro espaço de investimentos da vida humana, que nos coloca em relação à alteridade.

A descrição dos principais objetos sociotécnicos usados pelos atores sociais a serem analisados no próximo subtítulo será feita pontuando algumas observações que foram feita sobre elas também para se avaliar o seu caráter não somente instrumental, mas também qualitativo. A fim de atender aos critérios de pesquisa social em rede que exige do pesquisador a compreensão e domínio das linguagens e códigos do grupo social que se estuda, bem traduzir seu universo simbólico em termos sistemáticos da ciência. Por isso, a descrição das interfaces é necessária, enquanto objeto técnico que possui "questionamentos estéticos que lida com a percepção dos indivíduos" (SILVA, 2016, p. 15).

Youtube: a descrição técnica das interfaces dessa rede sociotécnica talvez não seja algo tão inédito na etnografia virtual, sem falar que já faz parte do aparato cultural presente nos discursos diários dos mais variados modos de existir pela multiplicidade de assunto que está interligada. Portanto, atenta-se para o caráter mais qualitativo em sentido menos técnico e mais em negociações entre seres humanos que a rede oferece.

Como visto o Youtube é uma rede extensa de conteúdos em vídeos que agrega vários tipos de saberes coletivo (SILVA, 2016: 8-9), cada área com suas dinâmicas de interação com o público e por isso verifica-se a peculiaridade dessa rede.

O caráter qualitativo peculiar do Youtube tem sido em boa medida sua capacidade de interação enquanto potencial enquanto "campo investigativo" a diversidade de suas comunidades em rede que negociam relações de poder, identidades e em boa medida de trabalho constatam que este objeto técnico (SIMONDON, 1958) constitui espaços sociais simultâneos que estabelecem culturas internamente por redes técnicas (internet) que promovem essa conexão (GUIMARÃES JR e col, 2010: 49 in SILVA, 2016: 15). Isso acontece nos processos de ressignificação, adaptação e transformação que os usuários negociam em rede, os efeitos são tanto sociais quanto tecnológicos. (_____, 2010:50 in _____, 2016, p. 15).

Aspecto técnico notado em campo etnográfico e que fica a responsabilidade da pesquisadora e que Youtube chama mais a atenção dos usuários a medida em que e um desafio de produção de conteúdo por conta dos incentivos econômicos.

Por exemplo, nesse período navegando pela rede pode-se notar que alguns canais conseguem aumentar o seu custo relativo de visualizações, por exemplo: a dinâmica acontece da seguinte forma, quando você vincula sua conta do Youtube ao "Adsenses" um sistema que contabiliza de forma monetária seus conteúdos na rede através da permissão previa do usuário para usos de publicidade on line a partir de seus conteúdos que não possuem direitos autorais de outros produtores, passa-se a rentabilizar o seu canal, ou seja, gerar renda. Essa renda e relativa funciona com a categoria CPM (que significa Custo a cada Mil visualizações), e como uma bolsa de valores o valor pode mudar a qualquer momento por diversas variáveis que ainda não foi conseguido averiguar neste breve trabalho.

Facebook: Em boa medida replica alguns resultados muito específicos do YouTube, porque também faz uso de troca de mensagens entre usuários, tem a dimensão de compartilhamento de fotos onde e possível marcar usuários para incentivar a visualização, e também possui vídeos, porem pelo caráter econômico do Youtube no sentido de incentivar seus criadores de conteúdo a monetização do canal como já foi visto, torna o fator de maior especificada dele, ou seja, um foco simples e forte na medida de alcance, sem falar que vídeos viralizam na rede com maior facilidade que fotos e textos, pois, lida de maneira mais atrativa com as percepções visuais.

Instagran: O instagran e basicamente uma rede sociotécnica voltada para imagens, em sua maioria lida muito com a percepção estética delas, tanto que já se tem criticas quanto ao seu uso. Onde se apontam acusações de que ele tinha o efeito de causar "Ansiedade, insônia e rejeição à própria imagem" em alguns de seus usuários. O que reflete seu caráter ideológico, muitas das vezes incentivado pelo consumo. E, sobretudo no que já foi discutido na revisão bibliográfica, o instagram seria em boa medida considerado um vetor do "mito da beleza" (WOLF, 1990) assim como uma pandemia espalhada por um mosquito vetor, assim estaria essa rede sociotécnica espalhando o vírus do "Mito da beleza" que torna as mulheres vulneráveis a ascensão sociopolítica na sociedade, minando seus papéis de autoridade e poder em contrapartida com estereótipos de padrão que fala-se também a ditadura da beleza, principalmente pela rede possuir 700 milhões de usuários e atingir principalmente o público jovem. (ÉPOCA NEGÓCIOS ONLINE acesso em 22 Julho 2017)

Das perguntas feitas para as 1.500 pessoas entre 14 e 24 anos de idade relacionadas a "sentimentos como pertencimento a um grupo, ansiedade, senso de identidade, sono e imagem corporal. A ideia era descobrir como os entrevistados se sentiam diante de diferentes plataformas na web — Instagram, Facebook, Snapchat, YouTube e Twitter" apenas o Youtube respondeu com estatísticas mais otimistas em relação ao bem estar psicológico dos usuários, o que é um belo exemplo que se vai ver é a JoutJout um canal do YouTube brasileiro que fala sobre questões sociais de autoimagem, aceitação e gênero, que defende as mulheres com muito bom humor, e discute sobre "relacionamentos abusivos" que foi um dos vídeos que mais viralizou na rede sobre ela. O instituto britânico RSPH (Royal Society for Public Healt) que realizou a pesquisa aponta algumas alternativas possíveis para reverter às estatísticas ruins que algumas das redes (ÉPOCA NE-GÓCIOS ONLINE acesso 22 Julho 2017).

Sites, Blogs e E-commerces: Esses são difíceis de mapear a especificidade pois, todos esses contam com as redes sociotécnicas citadas acima: facebook, Youtube e Instagran para se manter o seu fluxo orgânico (navegação de usuários). Os sites geralmente reúnem conteúdos escritos, que podem ou não estar interconectados a outros hipertextos, e cada site vai adorar uma interface diferente pois, são diferentes dessas redes sociotécnicas citadas acima que possuem interfaces padrão, os sites são altamente personalizáveis. Enfim, sites são espaços, sítios de informação.

A característica que difere os Blogs e E-commerces é que os blogs são entendidos como sites que possuem interpretações muito pessoais a respeito de um assunto específico e em boa medida possuem uma dinâmica ou organicidade de informação, ou seja, possui postagens constantes, possui movimentos constantes, enquanto um site pode existir e ter um conteúdo fixo apenas informativo, porém sem manutenção diário ou constantemente. Enquanto os e-commerces podem estar dentro de sites orgânicos ou fixos, ou ser um site em si mesmo como, por exemplo, o Ali Express um site oriental que é uma liderança mundial trocas comerciais on line no mundo.

Tags: podem ser descritas as vezes como um padrão de conectividade on line, por exemplo, quando se faz uma postagem em blogs ou sites se coloca em uma área palavras chaves para que os usuários que colocarem essas palavras no provedor de pesquisas,buscador (Google, Mozila Firfox, Internet Explorer, etc) apareça os resultados que possuem aquelas palavras. É um fator de comunicação específico dentro das redes. Este é apenas um dos exemplos de Tags. Mas o termo também é usado de forma mais específica no YouTube quando os produtores de conteúdo usam uma palavra ou frase como assunto em comum, ou tema para fazerem vídeos falando de suas especificidades nos assuntos, o maior exemplo é a tag "50 fatos sobre mim" e "Recebidos" para falar de produtos de moda e beleza que empresas enviam as produtoras de conteúdo relevantes sobre o assunto para escrevem resenhas sobre o uso, podendo ou não serem patrocinados é de difícil controle ainda nesse aspecto.

JUSTIFICATIVAS NA ESCOLHA DOS INFLUENCIADORES

Como a informação e a comunicação circulam basicamente pelo sistema de mídia diversificado, porém abrangente, a prática da política é crescente no espaço da mídia. A liderança é personalizada, e formação de imagem é geração de poder. Não que toda política possa ser reduzida a efeitos de mídia ou que valores e interesses sejam indiferentes para os resultados políticos. Mas sejam quais forem os atores políticos e suas preferências, eles existem no jogo do poder praticado através da mídia e por ela, nos vários e cada vez mais diversos sistemas de mídia que incluem as redes de comunicação mediada por computadores (CASTELLS, 1999, p. 571-572).

Como já se descreveu o "sistema de mídia diversificado" que são as redes sociotécnicas usadas pelos atores sociais, ou melhor, "lideranças personalizadas" / atores políticos espalhadas por um extensa rede de informação virtual sondada por interesses políticos no "jogo pelo poder" que passa necessariamente pela mídia; Agora portanto, pode-se se falar também de figuras socio-históricas da internet, entendidas dentro do contexto de "espaços do saber" ou conhecimentos coletivos que parte da perspectiva de que a internet é um espaço onde conhecimento desterritorializado onde essas figuras socio-históricas podem exercer suas personalidades e serem moldadas pela interação a que se sujeitam constituindo-se nesse contexto da informação sem territórios (LÉVY, 1994 in SILVA, 2016:13).

Nesse sentido foi feita uma seleção do que se pode entender por figuras socio-históricas ou atores políticos, ou ainda bios midiática divididos em dois grupos:

O primeiro grupo diz respeito a atores políticos que se percebem enquanto discursos políticos nas redes sociotécnicas e que influenciam um grande número de seguidores, envolvendo temas caros das ciências sociais, se mostraram um campo fértil de pesquisa em cibercultura e sociologia usando esse método de etnografia virtual: Jout Jout, Gregório Duvivier, e Camila Achutti.

O segundo grupo também diz respeito em boa medida a esse protagonismo em rede (atores políticos) porém, estão inseridos em temas mais específicos, voltados para o objeto Maquiagem enquanto objeto de pesquisa em Ciências Sociais de investigação ainda itinerante. Este segundo grupo é composto por majoritariamente mulheres e abordam a categoria moda e beleza como já vimos na descrição dos tipos de influenciadores digitais, estes porém, usam sempre o objeto maquiagem como marcador social do corpo enquanto discurso político de poder e estética potencial, porém esse uso é feito sob suas perspectivas da negação das características biológicas e da reafirmação delas enquanto discurso político nos corpos.

GRUPO 1: POLÍTICA, CORPO, E GÊNERO

Gregório Duvivier: Este ator, humorista, roteirista e escritor brasileiro tramita entre as categorias de influenciador digital e web celebridade como já vimos a especificidade delas. O primeiro contato da pesquisado com o mesmo foi através de um dos maiores canais do Youtube brasileiro da categoria de humor, eles falavam sobre temas como: humor, religião, comportamento e relações de gênero e trabalho sempre com sátiras e piadas com um desempenho atual que esteve atraindo os jovens millenials diferente do humor do final do século passado onde se tinha personagens brasileiros como: Os trapalhões, Chico Anísio com a Escolinha do professor Raimundo, esta categoria agora as vezes é entendida como Stand up, mas sua especificidade não é o foco aqui, portanto não nos atentemos a isso.

Atualmente ele trabalha para o canal HBO Brasil com um programa único somente dele, pois, depois de sua repercussão na web falando de temas políticos brasileiros foi convidado pelo canal para falar com a abordagem humorística sobre a política brasileira, é um pouco itinerante esse habitus dele e se coloca num momento substantivo para a realidade política brasileira onde se está de modo geral, refiro-me a massa, o grande público mais ligado à mídia (e sua mudança de performance TV agora Internet na era da informação, mais do que nunca, e especialmente no YouTube socialmente falando pela especificidade) do que livros por exemplo. E no contexto em que se fala de Reformas trabalhistas, Casos de corrupção o que leva a crise política, Carne, Energia, e Impostos entre outros temas sempre de interesse público que forma opinião social.

Sua importância também como objeto de investigação política e social que compreende um dos elementos sugestivos da agenda das ciências sociais, reside no fato dos assuntos abordados mesmo que recente esse programa dele o "Greg News" possui conexão com as redes sociotécnicas, ou seja, o conteúdo não é restrito ao canal de TV privada, mas também está disponível no Youtube e na fan Page do facebook.

Jout Jout: Quase ninguém conhece a jornalista Julia Tolezano por esse nome, a grande "família jou jout " como ela sempre enfaticamente saúda seus seguidores do canal de pouco mais de 1 milhão de membros, e estes sempre retornam com comentários e divide os dramas sociais vividos que ela veementemente os lê e trata como assuntos para os vídeos com um senso de humor original, quase nunca usa maquiagem e fala dos papéis da mulher, sobre saúde (com participação do Dráuzio Varella também influenciador digital) e principalmente fala sobre assuntos sobre o sexo de maneira muito divertida e responsável que ajuda os jovens a passar por dramas da vida como se interpreta dos comentários que são postados nos vídeos.

O contato da pesquisadora com essa youtuber se deu quando ela ainda não era uma grande celebridade no Youtube por volta de 2014 com a fundação do canal dela, ou seja, quando ainda não tinha a placa ouro (1 milhão de inscritos – outras categorias eram 100 mil inscritos placa prata e placa diamante para 10 milhões de inscritos). Na época a pesquisadora se envolveu com seu objeto de pesquisa através de sugestão de vídeos de humor pela própria plataforma.

O canal de Jout jout faz parte da Ciberespaço de agenda sugestiva para estudos etnográficos com o tema de gênero, relação com corpo, sexualidade, e sobretudo mulher, sua melhor performance que foi onde começou a adquirir notoriedade no youtube foi em 2015 com o vídeo que viralizou nas rede dividindo a crítica sobre " Não tira o baton vermelho" onde ela fala sobre relacionamentos abusivos.

E dentro de uma perspectiva da imagem da mulher e seu papel na sociedade Jout Jout tem sido um ator social de muita relevância, pois, influencia a opinião e milita no sentido do empoderamento da mulher enquanto um padrão de beleza e identidade forte que norteia o habitus social a tornando um referencial de personalidade da militância da mulher na sociedade na busca por papéis de igualdade.

> O corpo é o que pode ser interpretado como veículo de acesso e de integração do sujeito com o mundo. É ele, portanto que personifica e torna a presença de si com o mundo e que estabelece uma significação com o outro. O "outro" propriamente dito pode ser referido como sujeito "fora" do "eu", como um desdobramento do próprio "eu". Esse desdobramento pode-se entender então como a busca da consciência de si mesmo, do entendimento do eu e do autoconhecimento: do "olhar para dentro de si", e ver a imagem que o corpo forma nos olhos do mundo e da sociedade. Cabe agora questionar, propor enigmas, fazer pensar e desembrutecer o olhar saturado pela reprodução de imagens. Vestir-se para o olho. (MACLUHAN, 1997 in CARON, 2014, p.2).

Marshal McLuhan (1997) sobre os meios de comunicação reflete sobre o poder da imagem que os meios de comunicação podem colocar sobre as percepções do próprio corpo, em suas palavras "olhar dentro de si" e questionar-se sobre os constantes golpes de referências de corpos que se tem na mídia de redes sócias-técnicas, a Jout Jout é a referência de bios midiática alternativa no Youtube ao padrão do "mito da beleza" e da manipulação dos corpos pela mídia que tanta agride os corpos no mundo.

Jout Jout é uma representatividade em potencial da mulher brasileira enquanto padrão de "beleza sustentável" (CARON) conceito já visto que dentro do conceito da beleza feminina, "se mostra uma medida atípica com base no que se pode chamar de beleza sustentável. Quando o "ser belo" deixa de ser a perseguição pelo padrão, para se tornar o sentir-se belo, aceitando-se, conhecer as características do próprio corpo, ter identidade e personalidade e buscar, continuamente, a saúde e o bem-estar" como já foi visto anteriormente na revisão bibliográfica interdisciplinar sobre maquiagem.

Camila Achutti: Já vimos sua contribuição que ilustrou os tempos que foi dito por Castells (1999) sobre os deslocamentos econômicos e trabalhistas da mulher a medida que a tecnologia foi sendo tida como potencial econômico e influenciador no mundo como a indústria foi para a era moderna e agora é a informação para o modo de desenvolvimento informacionalista.

É um objeto em potencial as Ciências Sociais na medida em que tem vários projetos em seu site e redes sociotécnicas onde vincula sempre informações a respeito da inserção da mulher na informática.

A pesquisadora remete a memória ainda certa vez que foi vinculado uma notícia no portal da fan Page da Camila em que falava sobre um aplicativo desenvolvido para mulheres de países islâmicos que sofriam de ataques de estupros e o aplicativo ajudava nesse sentido a monitorar os horários de ônibus para que essas mulheres não ficassem mais no risco, este é apenas um dos exemplos.

Como já foi dito acima:

> [...] deslocamentos de gênero no Brasil está nas memórias da jovem militante Camila Achutti, que ingressou na USP (Universidade de São Paulo) em 2010 e deparando-se com a realidade de ser a única do sexo feminino em uma turma de 50 alunos do curso de ciências da computação questionou-se sobre seu espaço, e desde então luta pela igualdade de gênero na informática através de blogs e projetos sociais (entre eles a criação de aplicativos para ajudar mulheres em condições de vulnerabilidade social).
>
> Em uma conversa com mãe desmotivada a continuar no curso encontrou uma foto da primeira turma do curso em 1971 onde 70% dos alunos eram do gênero feminino. Após uma pesquisa Camila interpreta que na época o uso do microcomputador era limitado ao uso administrativo de algumas universidades e escritórios por parte de secretárias, uma profissão não consolidada sem a centralidade no orçamento familiar. O que mudou a partir da década de 80 com injeções milionárias no mercado de negócios da Era da Informação. (CAMILA, 2015:1)

Essa memória reforça a importância na atualidade nas Ciências Sociais de se inserir a tecnologia nos debates sobre gênero, espaços de ocupação da mulher na vida pública e privada, sobretudo na tomada de decisões e relação de poder - outros aspectos da vida sociais interessados as Ciências Sociais vão ser investigados mais a frente na etnografia virtual deste trabalho.

Outro canal interessante, porém que não se tem muita informação no sentido de propriedade da pesquisadora para falar é o canal "A gorda e o gay" que trata sobre questões de gênero, sexualidade, comportamento, identidade, e relação com o corpo.

GRUPO 2: MAQUIAGEM DE AFIRMAÇÃO OU NEGAÇÃO

A teoria da maquiagem enquanto linguagem faz com que ela delimite o tempo e o espaço social, e assim como toda linguagem confere a ela um caráter próprio de criar "códigos socialmente interpretáveis pelo hábito ou produz sentidos inesperados a partir da articulação que promove entre o sensível e o inteligível" (MAGALHÃES, 2010).

Enquanto filha da arte a maquiagem se empresta aos atores sociais para significar discursos políticos inscritos em seus corpos ciborgues como uma técnica do corpo.

Corpos estes onde também se leem discursos de gênero sob perspectivas antagônicas no que se refere ao uso ou não uso da maquiagem instrumental. Como no caso de coletivos feministas que se recusam a essencialização da mulher por essa via enquanto as mulheres trans reafirmam a presença da mesma em seus corpos e igualmente refere-se ao movimento feminista, o que torna possível a interpretação da diversidade dos movimentos sociais militantes da igualdade social de gênero, o que será mais bem discutido em etnografia virtual no próximo capítulo.

Antes de falar um pouco sobre cada influenciadora dessa categoria, faz uma análise sobre duas perspectivas que são abordadas por essas bios midiática quando vão falar sobre assuntos relacionado à estética ou beleza: a primeira perspectiva são as mulheres que reafirmam suas características biológicas e a segunda perspectiva são as que negam essas características.

Por exemplo, existem referências no mundo da representação midiática que estão reafirmando suas características biológicas como, por exemplo, a modelo Winnie Harlow que possui vitiligo, que segundo os padrões estéticos dermatológicos pode ser lido como uma "anormalidade", "desfigurantes" (PARADA e col., 2010) ou "mácula" (WOSCH, 2014) como discurso político para venda de produtos cosméticos, ou seja, usam termos de valores de juízo moral para se referir a características genéticas.

Essa relação de negação ou reafirmação pode ser notada também com exemplos mais comuns, como a questão do cabelo cacheado afro com a influenciadora Nataly Neri do canal Afros e Afins, onde fala do drama de amigas, e atenta para a questão do empoderamento da mulher negra. Como em vários outros canais se nota uma legião de maquiadoras ensinando técnicas para afinar o rosto, negar os traços genéticos que serão descritos aqui abaixo.

Portanto, será discutido primeiro o grupo de influenciadoras digitais que reforçam as características genéticas e depois as que negam as características genéticas, e será avaliado até em que medida esses discursos políticos de marcação do corpo pode reverberar as questões sócio-políticas de gênero, etnia, e consumo.

No grupo das influenciadoras digitais que reafirmam suas características genéticas como discurso político de gênero, que usam do corpo como marcador social capaz de reverberar poder enquanto estética do poder, estão: Nataly Neri, Hellora Haonne, e Luiza Junqueira do canal Tá Querida.

E no grupo da perspectiva de negação dos traços biológicos e que reafirmam alguns padrões estéticos de beleza será apenas elencado uma lista de Influenciadores digitais nacionais e capixabas, sem considerações específicas sobre eles, ficando a critério do cientista social as futuras considerações acerca de como se comporta o mito da beleza (WOLF, 1992) na era de desenvolvimento informacionalista (CASTELLS, 1999).

Essa agenda de influenciadores digitais ou maquiadores de grande relevância mesmo que não tenham ascendência nas mídias digitais, mas é web celebridades, o que configura um objeto de investigação para as ciências sociais enquanto análise dessa negociação de "beleza sustentável" (CANON) ou "mito da beleza" (WOLF), por exemplo:

[...] analisar como as dinâmicas das YouTubers de moda e beleza se enquadram nesse contexto e seus papeis na proliferação de uma consciência do consumo contemporânea, baseada em que a beleza , hoje, implica a aquisição de supostas maravilhas em forma de cosméticos, mas também o consumo de medicamentos, a disciplina alimentar e a atividade física. (SANT'ANNA, 201:15 In SILVA, 2016: 14).

Para explorar esses sentidos da discussão em torno da "necessidade da beleza no mundo contemporâneo" (SANT'ANNA, 2014:15 in SILVA, 2016:14) foi selecionado os canais de maior relevância sobre a o desempenho performático a critérios da pesquisadora.

O principal critério de seleção foi o grau de familiaridade que a pesquisadora tem com esses influenciadores digitais, excepcionalmente as capixabas, tornando o nível de conhecimento maior para análise ressalvando as questões de determinismo que estão sujeitas nessa relação. No entanto que se mostra em maior grau de interação e acompanhamento de trajetórias.

Os demais critérios utilizados para selecionar esses You-Tubers foram:

Influenciadores Digitais ou Web celebridades que existem no Youtube e sejam exclusivamente brasileiros; porque tem muito maquiador que não tem canal com muitos inscritos, mas são caracterizados como web celebridades onde se tem nomes como brands divulgados em toda web e em vários canais outros do Youtube, bem como maquiadores internacionais, mas que para esta análise se configura em termos de tempo apenas os nacionais.

A partir dessa categoria selecionou-se depois por ordem de:

Importância, no sentido de maquiadores virtuais que são didáticos e por isso podem se tornar muito famosos em pouco tempo pela aproximação com o grande público, porém, outros nem tão famosos são mais reconhecidos pela seriedade e refinamento do trabalho mais sério, usam produtos de grifes em sua maioria, dão dicas simples, porém, ultra profissionais, levam a sério as tendências das semanas de moda, ministram cursos fora do país, são de confiança dos famosos, e às vezes se tornam seniores das maiores grifes do mundo da indústria da beleza.

Relevância no sentido de abordarem de assuntos fundamentais para reprodução de técnicas de maquiagem enquanto técnica do corpo ou marcador social com desdobramentos simbólicos.

Propriedade, no sentido de pegar o produto e fazer testes e discutir sobre suas características, prós e contras, o que se chama de "resenha" geralmente quem faz esse trabalho são famosinhos do grande público. Esforço em pesquisar sobre o assunto para saber do que está falando, que pode ser entendida às vezes como até exclusividade no assunto de maquiagem, por exemplo, a blogueira que mantém o foco em maquiagem, e não se perde falando do estilo de vida, TAGS, de cabelo, de modinhas, vlogs e afins. Por isso coloquei a Camila Coelho, Thássia Naves, Julia Petit e Niina Secrets no final, pois, são muito relevantes em números de inscritos, mas misturam muitos assuntos que para a finalidade de maquiador para avaliar em ciências sociais a qualidade enquanto técnica do corpo ou marcador social não é tão pragmático.

Didática no que cerne a capacidade de um maquiador virtual tem de saber se comunicar com seus seguidores/inscritos, ou seja, não se colocar de maneira enfadonha nos vídeos onde se tem que passar algo importante e de maneira clara e objetiva, ou seja, tem que ir direto ao assunto e fazer comentários sérios e pertinentes, porém sem perder a audiência ao longo do tempo. Sendo assim, serão avaliadas suas potencialidades enquanto animador, digamos assim.

Influenciadoras Digitais do grande público em número de Inscritos e número de acessos no Youtube, por ordem de relevância de conteúdo como anunciado acima:

Ordem	Nome da Influenciadora	Nome do Canal	Nº Inscritos
1	Amanda Andrade Ferreira	Homônimo	199.126
2	Juliana Balduíno	JuBalduinomakeup	210.878
3	Alice Salazar	Homônimo	1.873.558
4	Mari Maria	Homônimo	2.033.364
5	Mariana Saad	Homônimo	1.207.618
6	Bruna Malheiros	Homônimo	1.078.273

7	Bruna Tavares	Pausa para Feminices	1.142.917
8	Camila Nunes	Homônimo	261.638
9	Andressa Goulard	Homônimo	376.787
10	Luciane Ferraes	Lu Ferraes	713.894
11	Duda Fernandes	Homônimo	743.491
12	Gabih Machado	Gabihmachado	197.351
13	Barbara Ferrazo	Barbara Thais	402.532
14	Marina Smith	Homônimo	79.613
15	Leticia Pequeno	Homônimo	23.544
16	Camila Coelho	Homônimo	3.059.519
17	Renata Meins	Homônimo	1.395.529
18	Thassia Naves	Homônimo	157.323
19	Niina Secrets	Homônimo	2.447.790
20	Joyce Kitamura	Homônimo	502.193
21	Paola Gavazzi	Truques de Maquiagem	Não informado
22	Julia Petit	Petiscos TV	407.991

Tabela: Influenciadoras Digitais do grande público em número de Inscritos e número de acessos no Youtube, por ordem de relevância de conteúdo para o objeto Maquiagem. Última atualização da tabela 22 Julho 2017.

Profissionais webs celebridades: Helder Marucci, Talita Barriquelo, Gabriela Wendramin, Thalyson Salvino, Ricardo Silveira (capixaba), Roberta Peixoto, Letícia Rigolim, e Tati Bueno.

Web celebridades da Mídia (TV, novelas) e Semanas de moda que usam o nome como Brands nacionais: Fernando Torquatto, Juliana Rakoza, Celso Kamura, Fabi Gomes e Vanessa Rozan, Ricardo dos Anjos, Duda Molinos.

Panorama Capixaba de Influenciadores Digitais: Débora Lyra, Nanda Portella, Maria Borgô, Gabriela Varejão, Karina Viega, Thaina Castro, Nathalia Beltrasi, Julia Rodrigues, e Licia Rebello.

Excepcionalmente as influenciadoras digitais capixabas foram observadas seus últimos números de seguidores nas redes sociotécnicas.

Ou seja, entre as influenciadoras citadas a menor conta do Instagran tem no mínimo de 21 mil seguidores (Tainá Castro) e a maior têm mais de 231 mil seguidores (Débora Lyra). O menor canal do Youtube tem no mínimo 300 inscritos (Maria Borgo) e o maior canal conta com pelo menos 30 mil inscritos (Karina Viega), enquanto que as fan pages giram em torno da menor página ter no mínimo 650 seguidores (Gabriela Varejão) e a maior contar com pelo menos 146.841 mil seguidores (Karina Viega).

Entre as citadas as que mais mantêm vínculos enquanto bios midiática que se chama de parcerias com empresas (remuneradas, por permuta, ou descontos) estão por ordem mais ou menos interpretativa subjetivamente pela pesquisadora, ou seja, sujeito análise sistemática: Nanda Portella, Débora Lyra, Karina Viega, e Nathália Beltrasi ou seja as que possuem os maiores números de seguidores.

As demais geralmente são convidadas para eventos de marcas dentro dos shoppings centers da capital Vitória e sua região grande vitória (Vitória, Vila Velha, Serra e Cariacica), o que é notável nas mídias sociais e portais de notícia impresso ou on-line de notícias sobre entretenimento.

As influenciadoras digitais nacionais que possuem em boa medida a reafirmação dos traços biológicos e que possuem discursos étnicos são: Nátaly Neri do canal Afros e afins que fala, sobretudo sobre as questões como "A solidão da mulher", "apropriação cultural", "racismo Institucional", "cabelo da mulher negra", "empoderamento da mulher negra", entre outros assuntos quentes de interesse etnográfico para a antropologia e um aspecto interessante é que ela é estudante de Ciências Sociais.

CAPÍTULO 3

MAQUIAGEM

O contexto sociopolítico em que foi descrito o modo de desenvolvimento capitalista informacionalista tem haver com o tema desta pesquisa: A maquiagem, na medida em que se já estudou as relações de trabalho ilustrado pela função profissional de influenciador digital nas redes sociotécnicas, que estão ligadas ao consumo, mídia e identidades.

Ao disporem seus conteúdos um tipo específico de digital influencer, o que compartilham conteúdos sobre Moda e Beleza indicam produtos, marcas e lojas (físicas ou virtuais) e assim, tais indicações passam a fazer parte do suporte material "desejado" seu público consumidor de conteúdo.

> As tecnologias da informação e da comunicação - TICs colocaram novas condições para a produção e comercialização de mercadorias e para a produção dos sujeitos e de sentidos do estar no mundo, com um modo de ser que se constrói e reconstrói na dinâmica dos encontros e desencontros da diversidade de ser: consumidores, vendedores, críticos, insatisfeitos, felizes, com mais ou menos intimidade." (FALEIROS, 2013, p.7 in SILVA, 2016, p.14).

Este capítulo está reservado a avaliar até onde as práticas e saberes de trato do corpo a partir da maquiagem está presente em alguns temas das Ciências Sociais tais como: relações de gênero, trabalho e consumo no Ciberespaço, e até onde eles podem provocar interpretações que podem ser aproveitadas pela produção do conhecimento sobre o homem (antropologia) e sua relação com o outro (sociologia).

Dessa forma, primeiramente foi feito um breve resgate histórico e bibliográfico interdisciplinar sobre como o objeto está presente nos temas caros das Ciências Sociais, e como se chegou a essas linhas de interpretação.

É antes de tudo uma revisão bibliográfica com material escasso sem linha de pesquisa consolidada ou importância já justificada para o aporte material científico em Ciências Sociais, como já foi lembrado na introdução deste trabalho. Portanto, vamos ver as considerações e potencialidades do objeto de pesquisa deste trabalho.

LIMITES DA MAQUIAGEM ENQUANTO OBJETO DAS CIÊNCIAS SOCIAIS

Tornar a Maquiagem um objeto de estudo para investigação científica em Ciências Sociais como já referido é um desafio neste trabalho em função do tempo e sua amplitude bibliográfica interdisciplinar. Além de ser um exercício complexo, por reunir vários interesses das ciências humanas: Discursos de gênero (Leituras em Teorias Sociais Contemporâneas), molde dos corpos sociais como próteses de um ciborgue (Antropologia do Corpo), relações de consumo (Antropologia do Consumo) e relações de poder e dominação no que se refere à Era Digital em que códigos cibernéticos da imagem do corpo e suas técnicas têm mostrado sua influência no mundo contemporâneo de base material deslocada de sua origem no capitalismo moderno (Antropologia e Tecnologia).

Também constitui um caminho em boa medida itinerante no que se propõe: Reunir alguns dados de outras várias áreas do conhecimento que possui a categoria em comum com a Antropologia, como: Artes (SAMPAIO, 2016), Linguística (MAGALHÃES, 2010) em História (fragmentos de fatos históricos sobre pintura: batom vermelho, Rainha Victoria XIX, etc.) Filosofia e Moda (SVENDSEN, 2010), Biomédicas: Dermatologia

(PARADA, 2010), Estética (WOSCH e col. [20?]), Administração e Biologia (AQUINO e col. 2015) Marketing e Publicidade principalmente um dos maiores arsenais sobre o assunto, e vale a pena se atentar ao seu caráter político de consumo (GODINHO, 2016; PEREIRA e col., 2012; PALACIUS, 2006) Comunicação Social (NOTH, 1998).

A fim de entender como esses dados se articulam em termos de perspectiva a partir da interpretação de seus discursos políticos, organizá-los de forma interpretativa dentro do pensamento antropológico, sobretudo no contexto da cibercultura e redes sociotécnicas onde a manipulação da imagem dos seres humanos ou fala-se ciborgues - ocupa um papel na influência visual de centralidade.

Portanto, tem-se como objetivo nesse capítulo avaliar a dimensão plástica com que a maquiagem se estende a outras áreas do conhecimento científico e interpretar seus discursos políticos, ou seja, com que perspectivas estão sendo avaliadas. Como também medir a partir das experiências de mundo da pesquisadora a diversidade do uso ou não uso da maquiagem instrumental – entenda-se por instrumental outra forma de referir a técnicas do corpo – pelos atores sociais das redes sociotécnicas de influência.

A cerca da crítica que existe sobre a maquiagem enquanto um objeto de pesquisa e de possível investigação científica, que assim como sua prima "Moda" tão influente no mundo ocidental desde o Renascimento também teve seus momentos de subestimação. Como reclama o filósofo norueguês Lars Svendsen (2010) "foi praticamente ignorada pelos filósofos, talvez porque se pensasse que esse, o mais superficial de todos os fenômenos, dificilmente poderia ser um objeto de estudo digno de uma disciplina tão profunda". Portanto, tal como a Filosofia está para a "autocompreensão" assim também a Antropologia está para a compreensão dos aspectos do "homem" - em seus mais diversos fenômenos e interações - assim como provou o filósofo a influência da moda para os processos introspectivos, se faz também aqui enquanto trabalho intelectual verificar até onde a maquiagem se faz tão influente na vida humana a ponto de expressar modos de pensar, agir e sentir, como numa ação social (WEBER, 1979) tendo em vista a ação do outro. Nesse sentido a investigação do cientista social deve ser orientada pelos sentidos dessas ações, se racionais por fins ou por valores, afetivas ou tradicionais e seus desdobramentos na experiência humana.

IMPORTÂNCIA DE SE PENSAR A DISTINÇÃO "OBJETO" E "HOMEM"

A relação da Cibercultura com o objeto de pesquisa pode ser esclarecida quando se fala em Castells (1999) sobre a transfiguração do sistema capitalista e suas consequências para os modos de produção em uma fase outra de organização com o advento das redes sociotécnicas de informação, que podem ser observadas nas relações de trabalho e consumo nas redes sócio-técnicas tendo como objeto a Maquiagem.

Aqui, portanto, em nível "nano" avalia-se - mais a frente na etnografia em ambientes digitais virtuais - o comportamento dos atores sociais nesse contexto, porém, antes de iniciar a longa jornada itinerante num trabalho de graduação com tempo e recursos limitados, refere-se ao menos aos conteúdos disponíveis sobre o objeto: Sua trajetória na história, interpretação que cabe sobre ele dentro de Antropologia do Corpo e suas teorias, relações de gênero em que foi importante ter a maquiagem como marcador social como discurso político, e alguns outros materiais bibliográficos multidisciplinares que foram possíveis se levantarem em apenas seis meses de investigação itinerante enquanto objeto científico para uma abordagem metodológica ciências sociais. Ou seja, uma investigação em nível "nano", para parafrasear os termos da linguagem em torno das tecnologias de informação que os atores sociais estão tomados a usar como linguagem.

E finalmente sobre essa relação do Ciberespaço com o objeto, pretende-se fazer a distinção do "objeto" e o "ser" enquanto metodologia de análise, durante as abordagens de perspectiva, como o exemplo de Castells em relação à "tecnologia" fez a distinção no primeiro capítulo do que seria o "ser" e o que seria o "objeto" a rede para avaliar seus impactos na sociedade.

Então nestes primeiros subtítulos em termos gerais se preocupa mais com essa reunião de assuntos em torno do que seria o objeto, e o que seria o "homem", ou melhor, o corpo nesse processo. O que pode ficar embaraçoso se acrescentar Donna (1985) e Simondon (1958) para colocar essa relação de distinção, porque eles avaliam todos esses aspectos a se pensar da relação Haraway de conflito entre eles, ora a personificação da máquina, ora a maquinificação do humano (ciborgue em HARAWAY, 1985) já que devido a sua escassez de material no campo antropológico das Ciências Sociais, embora suscite questões que podem ser muito bem avaliadas em nossas questões políticas mais centrais como: consumo, trabalho, divisão do trabalho e o contexto de Cibercultura, que tem haver com este objeto.

Então sobre essa relação de maquiagem e tecnologia se preocupa no primeiro momento em situar na Antropologia das técnicas do corpo onde as marcações do corpo enquanto maquiagem se fizeram presentes, e posteriormente nos subtítulos finais falar mais sobre a maquiagem em si, ou seja a técnica, para concluir como se dá essa relação de conflito de interesses entre elas e seus desdobramentos sociais.

O CORPO HISTÓRICO E CULTURAL

Estuda-se nesses primeiros subtítulos a cerca das averiguações em Antropologia sobre o corpo, pois, como já justificado no subtítulo anterior a análise de distinção entre o "objeto" a ser estudado e o "homem" se faz necessária na medida em que se precisam avaliar seus impactos na sociedade.

Portanto, o corpo enquanto técnica em Antropologia deve ser entendido como parte do "homem" do "humano" e a manipulação que sofre da cultura.

A dimensão de corpo em Antropologia deve ser entendida para além da fronteira do físico, como natural e biológico, mas também como histórico e cultural para se estender as demais dimensões explicativas de como ele se coloca no mundo. E enquanto o corpo está no mundo ele significa e modifica o tempo e espaço.

As formas físicas que o corpo está sujeito quando se inserem no mundo, como a preeminência da mão direita em relação à mão esquerda, pode ser reforçada ou negada na dimensão de corpo em suas dimensões culturais, práticas do corpo. (HERTZ:1980 in LEITÃO, 2000)

Dando ainda mais fundamento a questão cultural sobre o corpo físico, está à questão de habilidades aprendidas por tradição em que as culturas se diferem, por exemplo: postura para "caminhar, nadar, comer, higiene e até parir" são necessidades/habilidades fisiológicas que dar se como naturais pela constante reafirmação quase que automática do corpo, mas que, no entanto, nos lembra como a cultura manipula os corpos. Lembra-nos MAUSS (1997) que cada sociedade vai adotar uma série de "atitudes corporais" próprias, sendo assim este faz a leitura do corpo como uma técnica, que uma vez aprendida por tradição mal se podia perceber, pois, o *habitus* se reproduzia com tanta facilidade, tantas repetidas vezes que não era se quer questionado (um exemplo era a prática do corpo entre as mulheres Maori, conhecido como "Onioi" uma espécie de rebolado valorizado pelo povo).

As formas de tornar um corpo físico "humano" também vão sendo moldadas ao redor do mundo, como por exemplo, entre os povos Canduevo segundo Lévi-Strauss (1997b: 216) deveria ser pintado e ornado o corpo dos nascidos entre eles para ser reconhecida a sua humanidade.

> As modificações corporais são assim, de maneira bastante visível, parte de formar, deformar e conformar o corpo (biológico, individual, social e cultural) do homem (BOREL, 1992:15) essas modificações, mesmo que também com objetivos estéticos, podem ser consideradas o que Michel de Certeau chama de adaptação do corpo à um código, a uma norma (da cultura), constituindo o "retrato físico". (DE CERTEAU: 1996:240 in LEITÃO, 2000, p. 10-11).

CORPO ENQUANTO MARCADOR SOCIAL E SUA LIMITAÇÃO

Essa dimensão do corpo como histórico e cultural que se permite avaliar que ele significa e modifica a sociedade

(HERTZ) bem como é manipulado pela cultura (MAUSS) foi reforçada em estudos recentes em uma dissertação de mestrado onde se verificou um movimento entre os jovens de 13 à 15 anos que ressignificam seus corpos o tornando em um "potente marcador social da contemporaneidade". (DAMICO, 2006). Este fenômeno pode ser mais bem entendido pela forte necessidade de formação de identidades advinda das relações sociais nessa idade, a necessidade de afirmação e de se colocar no mundo, e promover mudanças.

Mas essa significação do corpo não é recente, pois, o homem sempre marcou o seu corpo como forma de expressão em diferentes culturas ao longo da história: tatuagens, pintura, escarificação, e maquiagem.

A mais antiga marca já encontrada em um corpo humano intacto data 5300 a.C conhecido como homem do Gelo, depois no antigo Egito múmias são tatuadas em rituais de fertilidade (Princesa Amuet, XI Dinastia), e na Grécia Heródoto cita povos (Trácios e Tabanos) com marcações pigmentadas e escarificações. Mais tarde na época das grandes navegações têm-se registros de Marco Polo na Ásia (Cancigu, hoje Tailândia e Birmânia) com mesmas semelhanças de marcação no corpo. Já Cristóvão Colombo e Américo Vespúcio falam sobre incisões e ornamentos em regiões perfuradas no corpo dos nativos em viagens ao Brasil.

No entanto, a divulgação para as culturas europeias (ocidentais) deu-se no século XVIII (1769) em uma viagem do capitão James Cook ao pacífico (já conhecido na Antropologia pelas interpretações de Marshall Sahlins, 1959) que de volta a Europa trás um polinésio chamado Omai com tatuagens no corpo que serviram de inspiração para os cavalheiros da Aristocracia, que agora usam emblemas tatuados nos braços e costas como símbolos da nobreza. Torna-se então possível explicar a etimologia de um dos tipos mais importantes de marcação no corpo, a "tattoo" (tatuagem) através da apropriação inglesa dos termos taitianos e samoanos "tatah" e "tah-tah-tow", que significam "marcar o corpo". Esse povo maori pigmenta suas faces para simbolizar: sistemas de parentesco, de natalidade, e conquistas, (inclusive usavam esses mesmos símbolos das faces como assinaturas).

É interessante analisar que tanto os povos nativos do Brasil do século XV, quanto os polinésios do povo Maori do século XVIII usavam o corpo tanto para marcação permanente (tatuagens, escarificação, ou incisões/perfurações) como a marcação transitória (pinturas) para simbolizar suas expressões ritualísticas culturais, e também expressões de poder e conquistas. (LEITÃO, 2000:3-6)

Os povos indígenas brasileiros Yawalapiti, segundo o antropólogo Viveiros de Castro (1977), tem a concepção de "mudanças corporais e modificações sociais" como mesmas. Ou seja, os corpos podem ser, e nesse momento são de fato, fabricados segundo a concepção social. Se mudar o corpo vai mudar a identidade. (in LEITÃO, 2000:11).

Le Brettton (1999), sociólogo francês poderia atribuir a maquiagem um elemento com a capacidade de produzir uma "estética da presença" (in LEITÃO, 200:14). Uma forma de marcar a existência desse corpo físico. Nesse sentido, a estética em interpretação livre vem do grego "aisthetiké" do ato de perceber, mas para a filosofia da arte também pode ser entendida como uma ciência que se preocupa com o que é belo nas suas manifestações artísticas e naturais.

Ou seja, tem um sentido de significado, ser e estar no mundo e de que forma que se está no mundo. No entanto, é evidente os significados culturais de técnica do corpo, e essa técnica estética no corpo vai mudar de cultura para cultura. A principal diferença entre elas é o caráter estético nas sociedades modernas, e o caráter de passagem tradicional de tribos indígenas sem uma demarcação do caráter estético como centralidade, no entanto nos dois modos se percebem formas comuns de significar o corpo no mundo e como ele altera as relações de pode social.

A maquiagem ao longo da história deixou fragmentos marcantes como significantes sociais, ela usou da manipulação de materiais químicos encontrados na natureza em forma de cores e texturas para explorar a estética artística e significar poder em dados momentos de fatalidade histórica. Como por exemplo:

A história da Maquiagem através das culturas, essas entendidas como sistema de práticas humanas dotadas de símbolos e significados, registra-se sua gênese em 3000 a.C, adotando diferentes contextos no tempo e no espaço, como por exemplo no Império Romano, Japão durante a idade média séc. XIII e XIV, com o Renascimento no séc. XV e XVI, e no Brasil onde pode-se observar entre as tribos do Xingu (MT) até tempos contemporâneos a sensibilidade estética das pinturas nas cerimônias religiosas, guerras, danças e rituais.

Como foi constatado nem sempre o homem (indivíduo racional, emocional) teve autonomia com seu próprio corpo biológico perante o social, sobretudo, na idade onde "corpo e espírito" eram um só, com a dessacralização do corpo em Descartes (1628) logo os corpos poderiam dar vazão a estudos de anatomia para desenvolvimento da medicina.

Com ressalvas entre a noção de "igual" das marcações tribais das sociedades tradicionais, e marcações dos indivíduos das sociedades urbanas complexas fruto de uma "modernidade ocidental".

> O homem se propõe a cientificidade e a racionalidade objetiva, mas também faz questão de afirmar-se enquanto sujeito e subjetividade. A criação do sujeito seria, antes de tudo, a criação de um mundo em que tudo é regido por leis racionais e inteligíveis pelo pensamento humano. O princípio e valor central do mundo,antes depositado na religião e em uma moralidade religiosa, passa a ser liberdade. Com a Revolução Francesa esse ideário de liberdade e igualdade se afirmam, e a ideia de direitos do homem e do cidadão, se tornar inquestionável. A Noção do sujeito livre traz consigo a superioridade das virtudes privadas sobre os papéis sociais, e da consciência moral sobre o julgamento coletivo (LE BRETON, 1999 in LEITÃO, 2000, p.12-13).

Depois da Revolução Francesa, e um mundo onde a racionalidade dá espaço a um homem livre e autônomo, com direitos civis iguais, este homem adquiri capacidades de manipular sua anatomia original, podendo o indivíduo, o maior guardião da sociedade moderna racional, ter direito sobre seu próprio corpo. (LE BRETON, 1999 in LEITÃO, 2000, p.12-13).

Considera-se, no entanto, nas sociedades ocidentais contemporâneas que os indivíduos alterassem sua aparência e forma física, estética de acordo com sua vontade e desejo,

No entanto, essa vontade e desejo aparentemente subjetivos não emergem no indivíduo sem uma relação de conflito. É o que constata, por exemplo, os estudos de Gilberto Velho (1994). Quando coloca um projeto de sociedade complexa urbana e ocidental, mais ou menos nos moldes que temos em Castells (1999), ele diz respeito sobre as questões de "projetos individuais" ou biografias dos indivíduos como centrais (VE-LHO 1994 in LEITÃO, 2000:13).

Porém, que a individualização (autonomia do sujeito) estaria sempre em uma arena de conflito e de possibilidades em contraste com a totalização (lugar do sujeito no grupo social).

MULHERES REPRESENTADAS NA MAQUIAGEM DO SÉC. XX

Do ponto de vista histórico o século XX trouxe importantes individualidades em termos de transformações materiais para o mundo, a base material da sociedade não seria mais a mesma, seu ritmo e relações de poder estavam sendo moldadas no espaço e tempo determinados pelas mudanças industriais.

E a estética artística – resume-se maquiagem - evocava dos rostos e corpos das mulheres com dizeres políticos a cada década, como marcadores sociais, evidenciando muito lentamente pequenos avanços em termos de independência.

Em 1837 a rainha britânica Victória no século declara-se publicamente contra o uso da maquiagem e a condena como "imprópria, vulgar e inaceitável". Era modo como o século XIX se habituava as relações de gênero, condenando o uso da maquiagem mesmo com um mínimo avanço da rainha ter rompido com uma linhagem de monarcas homens. (HAWKSLEY, 2015)

No entanto, a evolução dos aspectos sociais no mundo, sobretudo, no século XX no que diz respeito às relações de gênero na sociedade ocidental retratada na maquiagem continua seus avanços, mesmo a contagem de décadas até a década de 1960.

A maquiagem evoca a "impertinência" da mulher nos anos 20, a marcada "ousadia" dos anos 30 nas sobrancelhas, e o "dever nacional" dos anos 40 de parecer saudável mesmo em meio à guerra. Submetendo as mulheres a usar recursos precários como graxa, e carvão para exprimir o que se tinha na época como a expressão, a marca social da mulher nos corpos, a essencialização da mulher (Colunista do Portal da Educação aceso em 22 julho 2017).

A palidez da pele nos anos 50 tendo Marilyn Monroe como expressão máxima de um sentimento coletivo entre as mulheres. Já nos anos 60 com as mudanças políticas e culturais da cultura pop americana a tendência era mostrar o "inocente" com tons laranja e rosa-choque. E o importante "aspecto moral e psicológico" dos anos 70 de que "não existem mulheres feias, apenas mulheres que não se conhecem", evocando a frente da moda e qualquer outra coisa o aspecto de escolha nas mulheres, e sucessivamente as décadas de 80 e 90 também trouxeram suas particularidades (Colunista do Portal da Educação acesso em 22 julho 2017).

> [...] O século XXI trás fragmentos de todas as décadas passadas se misturam e contam um pouco da história da beleza feminina por meio dos tempos. Com a chegada do novo milênio, os diversos aspectos adotados pela beleza nos serviram de espelho. Os dois últimos anos misturam todos os possíveis estilos de moda e maquiagem. Trazem à classe e a elegância do início do século, a delicadeza sexy dos anos 60, a irreverência dos anos 80 e a "apatia" em tom de protesto dos anos 90. (Colunista do Portal da Educação acesso em 22 julho 2017).

Até finalmente repousar na última década onde os estilos de todas as décadas do século XX se misturavam em cores e texturas remontando as técnicas dos marcadores estéticos sociais. (NUEVO e col. 2011).

Porém, o grande momento é pensar o que o século XXI traz como individualidade histórica a partir de personalidades ícones da fama que geralmente são âncora no processo de difusão de tendências, como por exemplo, Gisele Bündchen na gênese do século trazendo o aspecto "clean" em todo complexo da face, e na metade da segunda década do século XXI o clã Kardashian – entre os maiores influenciadores digitais do mundo em número de seguidores na rede social instagran pela última checagem na rede social pela pesquisadora – em uma postagem no instagran que viralizou na internet feita por seu maquiador Mario Dedivanovic – também seguido pela pesquisadora- a técnica de "contorno" como obsessão pela face marcada como tributo ao afinamento do rosto, em contraste com os movimentos na moda "Plus Size" em discurso de aceitação das formas do corpo – segundo experiência da pesquisadora lendo hipertextos pela internet com a TAG "Plus Size".

No entanto, deve-se questionar até onde essa beleza está cada vez mais heterogênea, plural e diversificada. Seriam os plurais de identidade que falou Castells (1999)? O Conflito entre grupos cada vez mais heterogêneos? As categorias de diversidade de gênero e suas bandeiras de reivindicação: feministas negras, feministas brancas norte-americanas, diferentes das feministas trans e assim por diante. Bandeiras políticas que se comunicam? Até onde?

Quando Castells (1999) falou sobre o processo em que os "padrões de comunicação social" ficariam sob tensão a ponto de que a comunicação entre grupos sociais ficasse "alienada" considerando-se mutuamente estranhos e logo uma ameaça a si mesmos. Ele falava do processo de fragmentação social identidades que se tornam cada vez mais específicas, e mais difíceis de compartilhar. Um exemplo seria esse sobre discursos de gênero onde o acionamento ou não do uso da maquiagem pode colocar em alguma medida tensões de conflito entre a essencialização da mulher entre as categorias.

Que ele apontava que a sociedade informacional no seu módulo global seria um risco a sociedade e seus grupos sociais pares assim como foi com os povos hutus e tutsis na Ruanda em 1994. (CASTELLS, 1999:41) E em que medida isso acontece? Serão elencados atores sociais importantes para se pensar esse processo na etnografia virtual mais a frente, discursos e materiais de interpretação para cientistas sociais brasileiros da contemporaneidade da teoria de classes.

CONSUMO E TECNOLOGIA

O consumo de cosméticos no Brasil tem sido influenciado pela mídia (PALACIOS, 2006) esta na Era da informação mesmo multifacetada não está isenta de ideologia.

Tanto que uma pesquisa foi realizada com um grupo de quatro mulheres onde foi possível identificar projetos alternativos de vida enquanto práticas de não consumo de cosméticos e negação da maquiagem, por motivos de contestação a autoridade do mercado (PENALOZA E PRICE 2003 in DE MATOS, 2013).

Cosméticos é uma forma de referir-se a maquiagem enquanto matéria, e matéria essa vinculada ao consumo geralmente para uso técnico de manipulação estética do corpo, especialmente na face.

Nesse sentido o aumento considerável desse consumo em comparação com o final do sec. XX é eminente, pois, surgem cada vez mais novas brands (marcas) no mercado com soluções alternativas e altamente competitivas, a par das evoluções em tecnologia da comunicação. Mudanças estruturais na comunicação também revisam as formas que a publicidade e propaganda a se desenvolverem para influenciar o consumo. Avalia-se, portanto, através dos motivos de compra a "importância que a sociedade atribui aos ideais de beleza que são veiculados e que vão afetam a imagem corporal". Quando a imagem do corpo como ideologia e publicidade cosmética voltada aos storytellings em forma de ideologia em novelas, realitys, e principalmente nas redes sociotécnicas e seus atores sociais que se colocam enquanto variáveis para explicar esse consumo crescente.

Estudo recente com 513 consumidores de cosméticos, no entanto demonstram que as duas variáveis: publicidade de cosméticos e a ideologia em torno da imagem dos corpos respondem a uma função de mediação entre os motivos de compra, mas não ocupa um papel central (PEREIRA, 2012) nesse sentido é que se questiona onde está o papel de centralidade nos motivos de consumo na primeira década do século XXI?

As redes sociotécnicas de informação como as mais recentes: Instagram, Facebook, YouTube, Portais de notícia, Blogs, Sites e até E-commerce demonstram sua influência no consumo de marcas e produtos cosméticos (QUIRINO, 2017). Mas não apontam estatisticamente até que ponto poderia se falar de centralidade nos motivos de consumo que essas opiniões e feedbacks patrocinados poderiam desencadear, mas ao menos nos dá material qualitativo para se pensar a relação trabalho e consumo nas redes sociotécnicas de informação.

No entanto, é evidente a relação da Tecnologia e Maquiagem enquanto dois objetos de investigação de campo riquíssimo para exploração em Ciências Sociais.

O MITO DA BELEZA E BELEZA SUSTENTÁVEL

Filha de uma antropóloga a feminista estadunidense Naomi Wolf (1994) faz uma análise profunda a cerca da concepção de beleza e a era industrial, mostrando como foi a negociação da agência de poder, sendo que de um lado se tinham discursos de homens que objetificaram a beleza da mulher como moeda de troca, onde as mulheres passaram a assimilar um rosto "lindo" como sinônimo de prosperidade financeira parte do grande sistema econômico. Desta forma "À medida que as mulheres iam exigindo acesso ao poder, a estrutura do poder recorreu ao mito da beleza para prejudicar, sob o aspecto material, o progresso das mulheres" (WOLF, 1994:12-14).

Esta é uma análise ultra esclarecedora sobre os aspectos mais intrínsecos que este trabalho se propõe. Pois, a partir do entendimento da como era a relação da beleza enquanto categoria presente na mulher na era industrial, ou seja, uma era que se reestruturou após o módulo de desenvolvimento informacionalista, pode-se pensar que rumos tenha tomado essa categoria da beleza nessa nova era.

Sua obra publicada em 1991 originalmente com o título "The Beauty Myth" e em versão brasileira "O Mito da Beleza: como as imagens de beleza são usadas contra as mulheres" serviu de referência para o movimento feminista porque nele encontram-se os paradigmas para se pensar em como as ideias de beleza podem prejudicar as mulheres na luta pela ascensão do poder em todos os sentidos: social, político e econômico. Também revela que em outros tempos históricos essa realidade foi diferente (WOLF, 1992, p.25) e que a exigência para que as mulheres tenham uma aparência conforme os padrões da indústria da beleza não negociam para que seja possível um projeto digno de prestígio e poder na sociedade.

Se o mito se tornou uma religião é porque nós mulheres, sentimos falta de rituais que nos incluam; se se tornou num sistema econômico, é porque ainda recebemos salários injustos; se passou a ser sinônimo de sexualidade, é porque a sexualidade feminina é ainda um continente desconhecido; e se se traduz numa guerra, é porque não nos são negados os meios de nos vermos como heroínas, intrépidas, estoicas e rebeldes; se corresponde à cultura das mulheres, é porque a cultura dos homens ainda nos oferece resistência. Quando reconhecermos que o mito se tornou poderoso porque se apossou de tudo o que havia de melhor na consciência feminina, podemos voltar-lhe as costas para observarmos com clareza tudo o quanto este têm vindo atentar substituir (WOLF, 1994: 280 in CARON, 2014, p.4).

A constante insatisfação com os corpos das mulheres é tem sido motivo de pesquisas nas áreas da Psicologia e especialmente, Psiquiatria, e é um dos exemplos de como o mito da beleza funciona de forma a acionar o retardo da ascensão da mulher na sociedade.

Os efeitos psiquiátricos medidos pelo profissional Dr. Augusto Cury encontram-se em seus romances publicados que giram em torno da dramatização das questões de pacientes recebidos em seu consultório geralmente jovens e mulheres. Em uma de suas obras sobre a questão das exigências do papel da mulher diz que o:

[...] câncer social que tem feito literalmente centenas de milhões de seres humanos infelizes e frustrado - em especial mulheres e adolescentes - reside na ditadura da beleza [...]. Tenho bem nítido na mente a imagem de jovens modelos que, apesar de supervalorizadas, odiavam seu corpo e pensavam em desistir da vida. Recordo-me de pessoas brilhantes e de grande qualidade humana que não queriam frequentar lugares públicos, pois se sentiam excluídas e rejeitadas por causa da anatomia do seu corpo. Recordo-me dos portadores de anorexia nervosa que tratei (CURY, 2005, p.5).

Segundo ele denunciava em congressos nacionais e internacionais sobre esses casos, mas que agora reserva a textos fictícios, pois, de forma científica não se tem a liberdade de recriar esses fatos de forma a impactar um público mais amplo de leitores fora da academia. Enfim, sejam quais forem os motivos econômicos ou de necessidade pessoal citado aqui está enquanto dado qualitativo para ilustrar um problema de militância que se foi colocado.

> Os homens controlaram e feriram as mulheres em quase todas as sociedades. Considerados o sexo forte, são na verdade seres frágeis, pois só os frágeis controlam e agridem os outros. Agora, eles produziram uma sociedade de consumo inumana, que usa o corpo da mulher, e não sua inteligência, para divulgar seus produtos e serviços, gerando um consumismo erótico. Esse sistema não tem por objetivo produzir pessoas resolvidas, saudáveis e felizes; a ele interessam as insatisfeitas consigo mesmas, pois quanto mais ansiosas, mais consumistas se tornam. Até crianças e adolescentes são vítimas dessa ditadura. Com vergonha de sua imagem, angustiados, consomem cada vez mais produtos em busca de fagulhas superficiais de prazer. A cada segundo destrói-se a infância de uma criança no mundo e se assassina os sonhos de um adolescente (CURY, 2005, p.5).

Mas como se lê ele interpreta de maneira dramática e pontua as relações de consumo, acusando também a agência da indústria como uma norteadora desse processo encarceramento da mulher; e em segundo plano também está presente no seu discurso o sexismo patriarcal que é coadjuvante desse processo.

Uma alternativa interessante, no entanto, foi encontrada por uma pesquisadora da área de publicidade – vale a pena verificar cientificamente na perspectiva das ciências sociais se este discurso não pertence de maneira indireta a uma ideologia dominante de alguma forma, seja ela até ingênua - fala-se sobre o conceito de Beleza sustentável:

> Quando o "ser belo" deixa de ser a perseguição pelo padrão, para se tornar o sentir-se belo, aceitando-se, conhecer as características do próprio corpo, ter identidade e personalidade e buscar, continuamente, a saúde e o bem-estar (CARON, 2014, p.2).

Escreveu em seu artigo que trata da relação da mulher com seu corpo – categoria esta que será abordada no primeiro subtítulo do segundo capítulo deste trabalho para explicar a relação do objeto maquiagem com as Ciências Sociais – levando em consideração os efeitos da mídia no que chama ditadura da beleza, ou seja, a imposição frenética de padrões muito ideias e limitados de beleza sem representatividade coletiva das multiplicidades de ser bela e mulher.

Ela finaliza o artigo trazendo uma proposta para as mulheres de "resgatar a sua identidade autônoma, de memória coletiva, de liberdade e de capacidade de agir" (CARON, 2014, p.6).

De alguma forma interpreta-se desse artigo que a Maquiagem, enquanto foco deste trabalho também pode ser lida em última análise de duas formas: uma como prótese do humano, pois, encaixa-se na categoria de "aparatos que fornecem alguma extensão funcional ou comunicativa enquanto em estreita associação com o corpo" representando "tudo aquilo que é exterior ao ser humano, isto é, o que não lhe pertence organicamente." (CARON, 2014, p.3) Esse conceito de prótese do humano serve para estudar os influenciadores digitais da categoria tipológica "moda e beleza" que negam uma perspectiva de aceitação do corpo e desejam alterar suas características biológicas (dentro da agenda de sugestão de estudos em Ciências Sociais presente na etnografia).

E a outra forma de interpretação da Maquiagem seria de performance de proteção e comunicação do corpo.

> A maquiagem é um aspecto constante de todas as culturas da moda, moderna e "exótica", e tem um valor tanto de proteção como de comunicação. Na verdade, com a natureza dos cosméticos, sendo temporária e variável, tem-se a chave para a sua versatilidade e seu significado (LOK, 2003 apud CARON, 2014, p.4).

Por proteção entende-se que as pessoas utilizam em seus corpos diversos tipos de próteses para alterá-lo de forma permanente e causando dor e escarificações, a maquiagem enquanto proteção tem essa dimensão plástica de além de proteger desses aspectos permanentes de comunicação como: tatuagens e piercings, também atua como um comunicador plástico, afinal, as identidades mudam e se resignificam.

Considera-se finalmente sobre este capítulo de revisão bibliográfica interdisciplinar sobre os aspectos sociais da Maquiagem, que ela funciona assim como a tecnologia enquanto uma técnica do corpo, seus efeitos sociais devem ser avaliados depois da ação como sugeriu Simondon (1958) sobre os "objetos técnicos".

Não se dá para avaliar os efeitos morais da Maquiagem enquanto um objeto, pois, seu uso recebe múltiplos efeitos. Portanto, enquanto objeto de estudo das ciências sociais a Maquiagem prova seu valor enquanto marcador social dos corpos políticos, tanto para efeitos de inclusão social como para exclusão em conflito constante nas arenas de Poder (política), Experiência (identidade) e Produção (consumo), sobretudo na sociedade capitalista de modo de desenvolvimento informacionalista que é o contexto do objeto estudado; onde as identidades estão mais fluidas e diversas tornando necessária a busca por marcadores nos corpos para expressar essa diversidade. Quando se justifica a Maquiagem como prótese do humano (CARON, 2014), ou mesmo uma performance de proteção e comunicação do corpo (LOK, 2003).

E ainda que as dominações ideológicas dessas instituições históricas que moldam os corpos das mulheres não o fazem mais hoje, na era da informação, sem uma relação de conflito. Pois, sem contar nos avanços dos movimentos feministas, também se tem agências da beleza na era do informacionalismo tendo em vista que a crescente onda de subjetividades cada vez mais individualistas (CASTELLS, 1999) também se reproduzem nas redes sociotécnicas das mulheres dentro desse objeto de maquiagem como norteador de pesquisas. Na etnografia se mostra, no entanto, uma agenda de influenciadores para futuras investigações netnográficas em antropologia.

CONCLUSÃO

Finalmente entender a Sociedade em Rede é mais que fazer Antropologia e Sociologia, é também compreender os passos históricos que a sociedade está dando, entrando em uma nova Era, que é fundamentalmente comprovado historicamente pelos padrões fundamentais da Sociologia em Castells (1999). A Cibercultura compõe um espaço outro onde a Experiência humana em interação através das Redes Sociotécnicas forma, modifica e resignifica as subjetividades. Tornando assim, um desafio metodológico para a Antropologia, bem como toda área do conhecimento social, ao relacionar as categorias do humano e a tecnologia e até onde os limites epistemológicos podem ou não ser pragmáticos no desenvolvimento científico. Tendo como sugestão de pesquisa os Influenciadores Digitais, podem em boa medida serem considerados dependendo do contexto, atores sociais, ativistas e ou militantes de causas em que as Ciências Sociais já possui agenda de atuação como categoria de trabalho, relações de consumo como foi anunciado anteriormente quando se falava da Empresa Eletrônica e o que ela significa nesse contexto da Era Digital.

Na etnografia em ambientes virtuais digitais pode-se avaliar alguns contextos em que os cientistas sociais podem se deparar ao estudar relações de consumo, gênero, identidades e ativismo em redes sociotécnicas. Através da descrição dos ciberambientes, Justificativas na escolha dos Influenciadores e sua categorização a partir de elementos da experiência da pesquisadora enquanto além de estudante de Ciências Sociais também profissional da Maquiagem, identificando assim através de alguns conceitos as categorias de Política, Corpo e Gênero. A parte final da etnografia ficou por parte de uma análise de até em que medida a Maquiagem pode ser entendida como uma performance de afirmação ou negação das formas do corpo e como isso configura um discurso político sobre o corpo.

A Maquiagem assim como a Moda possui muitos limites para ser estudada como objeto em Ciências Sociais. No entanto, tem sua importância no papel de se pensar as técnicas do corpo enquanto discurso político. Bem como, avaliar o corpo como um objeto histórico e cultural ou ainda seus limites enquanto um Marcador Social, que podem ser considerados dentro do contexto de Antropologia do Corpo. Entre outros atributos para se ter a Maquiagem na teoria do conhecimento social, pode-se fazer uma releitura do papel da mulher representada na Maquiagem durante ao menos o século XX, seus avanços e fronteiras no desenvolvimento de seus direitos sociais nesse período.

O consumo e a tecnologia também tem relação com a Maquiagem na medida em que os influenciadores digitais por meio de Redes Sociotécnicas uma atuação no mercado brasileiro de consumo de cosméticos que já é considerado – como já anunciado – um dos maiores do mundo, o que torna interessante para os cientistas sociais avaliarem em que medida esses influenciadores constituem e alteram as relações com o corpo enquanto discurso de afirmação do "mito da beleza" (WOLF, 1994) ou da "beleza sustentável" (CARON, 2014).

Considera-se finalmente que a maquiagem constitui um objeto de investigação científica em potencial para a Antropologia na medida em que contribui como campo investigativo, sobretudo dentro de um sistema complexo que compreende a era do informacionalismo enquanto reestruturador do modo de desenvolvimento do sistema capitalista, onde se encontra atores políticos permeados por redes sociotécnicas que negociam as relações de Poder, Experiência e Produção (CASTELLS, 1999).

REFERÊNCIAS

AMARAL, Adriana; NATAL, Geórgia; VIANA, Lucina. Netnografia como aporte Metodológico da pesquisa em Comunicação Digital. **Revista Comunicação Cibernética**. n 39. p. 34 – 40. Editora Famecos/PUCRS. Porto Alegre, 2008. Disponível em:<http://revistaseletronicas.pucrs.br/ojs/index.php/famecos/article/viewFile/4829/3687> Acesso em: 01 jul. 17.

AQUINO, Simone; SPINA, Glauco Antônio; NOVARETTI, Márcia Cristina Zago. **Proibição do uso de animais em testes cosméticos no estado de São Paulo**: Novos desafios para a indústria de cosméticos e stakeholders. 2015. Disponível em: <http://www.redalyc.org/pdf/752/75244834006.pdf> Acesso em: 03 jul. 17.

ARRUDA, Clarissa Farencena. **De que é feita uma Me Brand? Estudo de Caso sobre o Capital social da Blogueira Camila Coelho**. (Trabalho de conclusão de curso, Graduação em Comunicação Social: Publicidade e Propaganda) Santa Maria, RS: 2015. Disponível em:< http://repositorio.ufsm.br/bitstream/handle/1/1979/Arruda_Clarissa_Farencena.pdf?sequence=1&isAllowed=y> Acesso em: 28 jun. 17

BURGESS. Jean, GREEN, Joshua. **YouTube: Online Video and Participatory Culture.**Cambridge. Polity Press. 2009. (Livro Digital).

CALDEIRA, Teresa Pires do Rio. A Presença do autor e a Pós-Modernidade em Antropologia. **Revista Novos Estudos CEBRAP.** Edição nº 21, Julho 1998. (Página 133-157). Vila Mariano-SP. Disponível em: <http://lw1346176676503d038.hospedagemdesites.ws/v1/files/uploads/contents/55/20080623_a_presenca_do_autor.pdf> Acesso em: 28 jun. 17

CARON, Caroline Freiberger. **Influência da Moda da Ditadura da Beleza Feminina.** Faculdade de Tecnologia Senai Blumenau-2008, 2014. Disponível em: < http://www.coloquiomoda.com.br/anais/anais/2-Coloquio-de-Moda_2006/artigos/27.pdf> Acesso em: 10 jul. 17.

CASTELLS, Manuel. **A Sociedade em Rede - A era da informação: economia, sociedade e cultura.**v.1. São Paulo: Paz e Terra, 1999. Oitava edição está disponível em: <https://perguntasaopo.files.wordpress.com/2011/02/castells_1999_parte1_cap1.pdf> Acesso em: 28 jun. 17.

COUTO, Edvaldo Souza. Gilbert Simondon: **Cultura e Evolução do Objeto Técnico**. (Trabalho apresentado no III ENECULT – Encontro de Estudos Multidisciplinares em Cultura, realizado entre os dias 23 a 25 de maio de 2007 na Faculdade de Comunicação/UFBA) Salvador, BA: 2007.6p. Disponível em: <http://www.cult.ufba.br/enecult2007/EdvaldoSouzaCouto.pdf> Acesso em: 22 jun. 17.

CURY, Augusto. **A ditadura da beleza e a revolução das mulheres**. Rio de Janeiro, Sextante, 2005. Disponível em:< http://

entrenacoes.com.br/redemulheres/download/Augusto%20
Cury%20-%20a%20ditadura%20da%20beleza.pdf> Acesso
em: 10 jul. 17.

DAMICO, José Geraldo Soares; MEYER, Dagmar Estermann.
O corpo como marcador social: saúde, beleza e valoração de
cuidados corporais de jovens mulheres. **Revista Brasileira de
Ciências do Esporte**, v. 27, n. 3, 2006. Disponível em: <http://
www.oldarchive.rbceonline.org.br/index.php/RBCE/article/
view/77> Acesso em: 07 jul. 17.

DE MATOS, Eliane Braganca. **Resistência à maquiagem: práticas cotidianas e não consumo**. 2013. Disponível em: < http://
www.bibliotecadigital.ufmg.br/dspace/handle/1843/BUOS-
-9F6HD7> Acesso em 9 jul. 17.

FIGUEIRA, Mara. **Second Life: febre na rede**. Sociologia, p.
16-25, 2007. Disponível em:< http://www.gestaoescolar.diaa-
dia.pr.gov.br/arquivos/File/pdf/pde_secondlifefebrenarede.
pdf> Acesso em: 08 jul. 17.

GEERTZ, Clifford. **A interpretação das Culturas**. Zahar. Rio
de Janeiro, 1978.

GODINHO, Flávia Martins; ARAÚJO, Rayssa Arianne Morais
de. **Trama: o imaginário do batom vermelho**. 2016.

GUAITOLINI, Cláudia Cristina. **Maquiagem e sua importância para a Beleza**. Ed. ULBRA: Pólo Boa Esperança, 2011.
Disponível em: <http://www.webartigos.com/artigos/maquia-
gem-e-sua-importancia-para-a-beleza/70555/> Acesso em 2
set 2015.

GUIMARÃES JR, Mário JL. De pés descalços no ciberespaço:
tecnologia e cultura no cotidiano de um grupo social on-line.

Horizontes Antropológicos, v. 10, n. 21, p. 123-154, 2004. Disponível em: < http://www.scielo.br/pdf/ha/v10n21/20622.pdf> Acesso em: 8 jul. 17.

HARAWAY, Donna; KUNZRU, Hari; TADEU, Tomaz. **Antropologia do ciborgue**. Belo Horizonte: Autêntica, 2000.

HAWKSLEY, Lucinda. **O casal real que mudou a cultura e os costumes em seu país e no exterior**. Da BBC Culture. 21 jul 2015. Disponível em: <http://www.bbc.com/portuguese/ noticias/2015/07/150721_vert_cul_vitoria_albert_artes_ml> Acesso em: 07 jul. 17.

HINE, C. **Virtual Ethnography**. London: Sage, 2000.

KOZINETS, R. V. **Netnography 2.0**. In: R. W. BELK, Handbook of Qualitative Research Methods in Marketing . Edward Elgar Publishing, 2007.

KOZINETS, R. V. **On netnography: Initial Reflections on Consumer Research Investigations of Cyberculture**. Evanston, Illinois, 1997.

LAZZARATO, Maurizio. **As revoluções do capitalismo.** Rio de Janeiro: Civilização Brasileira, 2006.

LEITÃO, Débora Krischke. À flor da pele: Estudo Antropológico sobre a prática da tatuagem em grupos Urbanos. (Trabalho de conclusão, Curso Ciências Sociais, Universidade Federal dório Grande do Sul, sob orientação Profª Drª Cornélia Eckert) Porto Alegre, RS: 2000. Disponível em:< http://www.lume. ufrgs.br/bitstream/handle/10183/30230/000672340.pdf?sequence=1> Acesso em: 28 jun. 17.

LOK, Kitty. **Fashion Technology and the Dynamic Indentity of Young Asian,** 2003.

MACLUHAN, Marshall. **Os meios de comunicação.** Cultrix: São Paulo, 1967.

MAGALHÃES, Ferreira. **Maquiagem e pintura corporal: uma análise semiótica.** Instituto de Letras, Universidade Federal Fluminense. Niterói: Brasil, 2010.

MAGALHÃES, FERREIRA. **Maquiagem e pintura corporal: uma análise semiótica.** Instituto de Letras, Universidade Federal Fluminense. Niterói: Brasil, 2010. Disponível em: < http://www.bdtd.ndc.uff.br/tde_arquivos/23/TDE-2010-10-05T124916Z-2655/Publico/tese%20final%20Monica%202010.pdf> Acesso em: 07 jul. 17.

MATTOS, Sonia Missagia. **JESUS CRISTO CIBERNÉTICO.** Jornal Estado de Minas, Belo Horizonte, v. 01, p. 09 - 09 23 jun. 1999.

MÁXIMO, Maria Elisa. **Da metrópole às redes sociotécnicas: a caminho de uma antropologia no ciberespaço.** Rifiotis, T. Antropologia no ciberespaço. UFSC, Florianópolis, p. 29-46, 2010.

MEDEIROS, Zulmira; SANTOS VENTURA, Paulo Cezar. **Cultura tecnológica e redes sociotécnicas: um estudo sobre o portal da rede municipal de ensino de São Paulo.** Educação e Pesquisa, v. 34, n. 1, 2008. Disponível em: <http://www.scielo.br/pdf/ep/v34n1/a05v34n1> Acesso em: 8 jul. 17.

MENDES, Sueli Santos. **Maquiagem apostila de imagem pessoal:** Área de Beleza. 1ª Ed. FAETEC, Duque de Caxias. Disponível em: <http://www.ebah.com.br/content/ABAAAe0PQAH/apostila-maquiagem> Acesso em: 2 set 2015.

MÉSZÁROS, István. **A crise estrutural do capital**. 2009. Disponível em: <http://outubrorevista.com.br/wp-content/uploads/2015/02/Revista-Outubro-Edic%CC%A7a%C-C%83o-4-Artigo-02.pdf> Acesso em: 8 jul. 17.

NÖTH, Winfried. **Imagem: cognição, semiótica, mídia**. Editora Iluminuras Ltda, 1998.

NUEVO, Patrícia; EMILIANO, Silvani; CASTELLANO, Mônica. **A Evolução do Cabelo e da Maquiagem no século XX – 100 anos de História e Beleza–Um comparativo com os dias atuais**. 2011. Disponível em: < http://tcconline.utp.br/media/tcc/2017/05/A-EVOLUCAO-DO-CABELO-E-DA-MAQUIA-GEM.pdf> Acesso em: 07 jul. 17.

PALACIOS, Annamaria da Rocha Jatobá. **Cultura, consumo e segmentação de público em anúncios de cosméticos**. 2006. Disponível em: <http://www.repositorio.ufba.br:8080/ri/bitstream/ri/1258/1/AnnaMaria%20da%20Rocha%20Jatob%-C3%A1.pdf%282%29.pdf> Acesso em: 10 jul. 17.

PARADA, Meire; TEIXEIRA, Solange Pistori. **Maquiagem e camuflagem**. Moreira Jr, São Paulo, 2010. Disponível em:< http://www.moreirajr.com.br/revistas.asp?id_materia=3887&-fase=imprime> Acesso em: 03 jul. 17.

PENNACCHIA, Ariana. **O que é um influenciador digital?** Redação Universidade do Cotidiano. 19 out 2016. Disponível em: <https://universidadedocotidiano.catracalivre.com.br/o--que-aprendi/una/o-que-e-um-influenciador-digital/> Acesso em: 8 jul. 17.

PEREIRA, Francisco Costa; ANTUNES, Ana Cristina; NOBRE, Sofia. O papel da publicidade na compra de produtos cosméticos. **Comunicação e Sociedade**, v. 19, p. 161-178, 2012. Disponível em: <http://revistacomsoc.pt/index.php/comsoc/article/view/904/864> Acesso em: 07 jul. 17.

PIERRE LEVY. **Cibercultura**. Editora 34, 2010. Disponível em: <https://books.google.com.br/books?hl=pt-BR&lr=&id=7L29Np0d2YcC&oi=fnd&pg=PA11&dq=cibercultura+conceito&ots=giYDBA_Chn&sig=AekDsjVQPsrC1QMeQWwR1hO0jBM#v=onepage&q=cibercultura%20conceito&f=false> Acesso em: 08 jul. 17.

QUIRINO, Giselle; PINHEIRO, Wesley Moreira. **A influência da rede de blogs no consumo de produtos e marcas de maquiagem**. Temática, v. 13, n. 3, 2017. Disponível em:<http://www.biblionline.ufpb.br/ojs2/index.php/tematica/article/view/33401/17278> Acesso em: 07 jul. 17.

RECUERO, R. (2006). **Dinâmicas de redes sociais no Orkut e capital social**. Disponível em http:// pontomidia.com.br/raquel/alaic2006.pdf Acesso em 01 jul. 17.

ROCHA, Paula Jung; MONTARDO, Sandra Portella. **Netnografia: incursões metodológicas na cibercultura**. Revista Compós, p. 1-22, 2005.

SÁ, S. P. **Netnografias nas redes digitais**. In: PRADO, J.L. Crítica das práticas midiáticas. São Paulo: Hacker editores, 2002.

SAMPAIO, J. O. S. E. **Maquiagem teatral: Uma experiência metodológica de ensino na Licenciatura em Teatro**. 2016.

SARAIVA, Karla; VEIGA-NETO, Alfredo. **Modernidade líquida, capitalismo cognitivo e educação contemporânea**. Educação & Realidade, v. 34, n. 2, 2009. Disponível em: <http://www.redalyc.org/html/3172/317227054012/> Acesso em 8 jul. 17.

SILVA, Cristiane Rubim Manzina da. TESSAROLO, Felipe Maciel. **Influenciadores Digitais e as Redes Sociais Enquanto Plataformas de Mídia**. Faculdades Integradas Espírito Santense. Intercom – Sociedade Brasileira de Estudos Interdisciplinares da Comunicação XXXIX. Congresso Brasileiro de Ciências da Comunicação. São Paulo, 2016. Disponível em: <http://portalintercom.org.br/anais/nacional2016/resumos/R11-2104-1. pdf> Acesso em: 8 jul. 17.

SODRÉ, Muniz. **Antropológica do espelho: uma teoria da comunicação linear e em rede** / Anthropological mirror: a theory of linear communication and networking. Antropológica do espelho: uma teoria da comunicação linear e em rede / Anthropological mirror: a theory of linear communication and networking. Petrópolis, RJ; Vozes; 2009. 268 p. Disponível em: <http://bases.bireme.br/cgi-bin/wxislind.exe/iah/online/?IsisScript=iah/iah.xis&src=google&base=LILACS&lang=p&nextAction=lnk&exprSearch=745529&indexSearch=ID> Acesso em: 01 Jul. 17.

SVENDSEN, Lars. **Moda: uma filosofia**. Zahar, 2010.

VIEIRA, Eduardo. Influenciadores, a fronteira final da publicidade. Meio e Mensagem, 2016. Disponível em: <http://www.meioemensagem.com.br/home/opiniao/2016/05/24/influenciadores-a-fronteira-final-da-publicidade.html> Acesso 8 jul. 17.

WEBER, M. **Ensaios de sociologia**. Rio de Janeiro: Zahar Editores, 1979.

WOLF, Naomi. **O Mito da Beleza**. 1992. Disponível em: <http://brasil.indymedia.org/media/2007/01/370737.pdf> Acesso em 10 jul. 17.

WOSCH, Annyloren Hort; DE CASSIA MALTA, Danielle. **Maquiagem Corretiva para Melasma**. Curitiba, PR. Disponível em: < http://tcconline.utp.br/media/tcc/2017/06/MAQUIAGEM--CORRETIVA-PARA-MELASMA.pdf> Acesso em: 03 jul. 17.

Links:

Colunista do Portal da Educação. A evolução do Mundo retratada na Maquiagem. Portal da Educação, 2013. Disponível em: <https://www.portaleducacao.com.br/estetica/artigos/27077/a-evolucao-do-mundo-retratada-na-maquiagem> Acesso em: 22 julho 2017.

Camila Achutti. Disponível em: <http://www.portalmulherexecutiva.com.br/camila-achutti-e-finalista-do-premio-claudia-2015-20021> Acesso em: 30 jun. 17.

Época Negócios Online. Disponível em:<http://epocanegocios.globo.com/colunas/Tecneira/noticia/2017/05/por-que-o-instagram-e-rede-que-mais-prejudica-sua--saude-mental.html?utm_source=facebook&utm_medium=social&utm_campaign=post> Acesso em: 22 Jul. 17.

Gregório Duvivier. Disponível em: <https://www.youtube.com/watch?v=qkiXcTp7lJk> Acesso em: 22 jul. 17.

Jout Jout. Disponível em: <https://www.youtube.com/user/joutjoutprazer> Acesso em: 22 jul. 17.

Social Science Citation Index. Disponível em: <http://annenberg.usc.edu/images/faculty/facpdfs/SSCIcommranking.pdf> Acesso em: 28 jun. 17.

WIKIPÉDIA: <https://pt.wikipedia.org/wiki/Influenciadores_digitais> Acesso em: 09 jul. 17.

Winnie Harlow. Disponível em: <http://delas.ig.com.br/moda/2016-11-22/modelo-vitiligo.html> Acesso em: 22 jul 17. h: Raphael Garcia

https://www.techopedia.com/ Acesso em 27 Jan 2022

Cyborg Referencies

Balsamo, Anne. 1996. Technologies of the Gendered Body: Reading Cyborg Women. Durham: Duke University Press.

Caidin, Martin. 1972. Cyborg; A Novel. New York: Arbor House.

Clark, Andy. 2004. Natural-Born Cyborgs. Oxford: Oxford University Press.

Crittenden, Chris. 2002. "Self-Deselection: Technopsychotic Annihilation via Cyborg." Ethics & the Environment 7(2):127–152.

Flanagan, Mary, and Austin Booth, eds. 2002. Reload: Rethinking Women + Cyberculture. Cambridge, MA: MIT Press.

Franchi, Stefano, and Güven Güzeldere, eds. 2005. Mechanical Bodies, Computational Minds: Artificial Intelligence from Automata to Cyborgs. Cambridge, MA: MIT Press.

Glaser, Horst Albert and Sabine Rossbach. 2011. The Artificial Human. New York. ISBN 3631578083.

Gray, Chris Hables. ed. 1995. The Cyborg Handbook. New York: Routledge.

——— 2001. Cyborg Citizen: Politics in the Posthuman Age. Routledge & Kegan Paul.

Grenville, Bruce, ed. 2002. The Uncanny: Experiments in Cyborg Culture. Arsenal Pulp Press.

Halacy, D. S. 1965. Cyborg: Evolution of the Superman. New York: Harper & Row.

Halberstam, Judith, and Ira Livingston. 1995. Posthuman Bodies. Bloomington: Indiana University Press. ISBN 0-253-32894-2.

Haraway, Donna. [1985] 2006. "A Cyborg Manifesto: Science, Technology and Socialist-Feminism in the Late Twentieth Century." Pp. 103–18 in The Transgender Studies Reader, edited by S. Stryker and S. Whittle. New York: Routledge.

——— 1990. Simians, Cyborgs, and Women: The Reinvention of Nature.New York: Routledge.

Ikada, Yoshito. Bio Materials: an approach to Artificial Organs

Klugman, Craig. 2001. "From Cyborg Fiction to Medical Reality." Literature and Medicine 20(1):39–54.

Kurzweil, Ray. 2005. The Singularity Is Near: When Humans Transcend Biology. Viking.

Mann, Steve. 2004. "Telematic Tubs against Terror: Bathing in the Immersive Interactive Media of the Post-Cyborg Age." Leonardo 37(5):372–73.

Mann, Steve, and Hal Niedzviecki. 2001. Cyborg: Digital Destiny and Human Possibility in the Age of the Wearable Computer. Doubleday. ISBN 0-385-65825-7 (pbk: ISBN 0-385-65826-5).

Shirow, Masamune. 1991. Ghost in the Shell. Endnotes. Kodansha. ISBN 4-7700-2919-5.

Mertz, David. [1989] 2008. "Cyborgs." International Encyclopedia of Communications. Blackwell. ISBN 978-0-19-504994-7. Retrieved 28 October 2008.

Mitchell, Kaye. 2006. "Bodies That Matter: Science Fiction, Technoculture, and the Gendered Body." Science Fiction Studies 33(1):109–28.

Mitchell, William. 2003. Me++: The Cyborg Self and the Networked City. Cambridge, MA: MIT Press.

Muri, Allison. 2003. "Of Shit and the Soul: Tropes of Cybernetic Disembodiment." Body & Society 9(3):73–92. doi:10.1177/1357034x030093005; S2CID 145706404.

—— 2006. The Enlightenment Cyborg: A History of Communications and Control in the Human Machine, 1660–1830. Toronto: University of Toronto Press.

Nicogossian, Judith. 2011. "From Reconstruction to the Augmentation of the Human Body in Restorative Medicine and in Cybernetics [in French]» (PhD thesis). Queensland University of Technology.

Nishime, LeiLani. 2005. "The Mulatto Cyborg: Imagining a Multiracial Future." Cinema Journal 44(2):34–49. doi:10.1353/cj.2005.0011.

Rorvik, David M. 1971. As Man Becomes Machine: the Evolution of the Cyborg. Garden City, NY: Doubleday.

Rushing, Janice Hocker, and Thomas S. Frentz. 1995. Projecting the Shadow: The Cyborg Hero in American Film. Chicago: University of Chicago Press.

Smith, Marquard, and Joanne Morra, eds. 2005. The Prosthetic Impulse: From a Posthuman Present to a Biocultural Future. Cambridge, MA: MIT Press.

Warwick, Kevin. 2004. I, Cyborg, University of Illinois Press.

Elrick, George S. 1978. The Science Fiction Handbook for Readers and Writers. Chicago: Chicago Review Press. p. 77.

Nicholls, Peter, gen. ed. 1979. The Science Fiction Encyclopaedia (1st ed.). Garden City, NY: Doubleday, p. 151.

Simpson, J.A., and E.S.C. Weiner. 1989. The Oxford English Dictionary (2nd ed.), Vol. 4. Oxford: Clarendon Press. p. 188.

93 ÓRFÃOS NO PAQUISTÃO

@THEBEAUTYBYGRACE

Decidi fazer maquiagem como ministério depois que me casei, então criei essa conta para postar alguns portfólios e incentivar as pessoas a doarem para a causa dos órfãos no Paquistão, e fiquei tão emocionada quando meu primeiro cliente doou para eles.

Primeira vez que os apoiamos em nome de Jesus.

Eles foram tão agradecidos que aquecem nossos corações e nos fazem sentir pertencentes a eles

Desde de 2021 nós temos pedido ao Senhor para nos dar um país para um dia visitar em missões quando nos aposentarmos se for a vontade de Deus, e então meses depois enquanto eu postava meus devocionais diários de manhã no Instagram onde seguia a conta digital do Samaritan's Purse onde nós apoiamos em orações e eventuais suportes financeiros para pequenos projetos no mundo onde mais precisa, como quando aconteceu a crise política e humanitária no Afeganistão em 2021 por exemplo.

Então o irmão Nadeem começou a me seguir e mostrar o trabalho Evangelístico que é feito com pelo menos 93 órfãos que ele cuida nas vilas rurais próximas a Faisalabad onde vive, ele tem também um perfil público no Instagram onde você pode acompanhar esse trabalho de perto como também entrevistá-lo como eu fiz aos poucos a fim de ganhar confiança sobre a fidelidade com o evangelho. O Irmão Nadeem sempre foi muito dedicado e paciente ao me enviar informações sobre absolutamente tudo que eu perguntava.

Enquanto este livro está sendo editado, o irmão Nadeem sofreu o seu segundo acidente automobilístico na sua cidade em menos de um mês, dessa vez foi mais grave e ele encontra--se gravemente ferido após uma cirurgia que o deixou sem fala e sem habilidades para se alimentar normalmente. Sua esposa senhora Saher cuida do filho e do marido debilitado em casa com a incerteza sobre o futuro, afinal o marido vive de doações voluntárias da comunidade cristã, segundo ele.

Abaixo segue informações sobre o trabalho do irmão Nadeem e sua família que ama a Jesus naquele país onde cerca de 3% apenas professa a fé cristã, e sendo um país islâmico as vezes torna um tanto arriscado servir a Jesus e levar o evangelho, então pedirmos orações em favor da vida deles para que o Senhor nos ajude a construir uma estrutura para melhor abrigar os órfãs das chuvas e baixas temperaturas no inverno rigoroso que já chegou a −4.0 °C (24.8 °F) em 1978, ou até mesmo alimentar essas crianças órfãos que trabalham numa fábrica de tijolo em situação análoga à escravidão, segundo ele.

Da esquerda pra direita: Waseem, Dawood, Zohaib, Atsham, Joshva, Khalid and Amar located at this Christian town area in Faisalabad city

NOME DOS 93 ÓRFÃOS

1. Aiza menina
2. Reia menina
3. Atsham Menino
4. Hania menina
5. Sidra menina
6. Waseem menino
7. Dawood menino
8. Zohaib menino
9. Saleem menino
10. Shakeela menina
11. Rehana menina
12. Abad menino
13. Nasir menino
14. Imran menino

15. Khalda menina
16. Sajda menina
17. Aneela menina
18. Shameela menina
19. Saima menina
20. Nouman menino
21. Kahan menino
22. Iram menina
23. Naila menina
24. Gudia menina
25. Zunaira menina
26. Qasir menina
27. Anosh menino
28. Irmana menina
29. Sabina menina
30. Zareena menina
31. Razia menina
32. Tara menina
33. Rizwan menino
34. Tabinda menina
35. Rafia menina
36. Anny menina
37. Kiran menina
38. Sonia menina
39. Niko menina
40. Nabeel menino
41. Gora menino
42. Yousaf menino
43. Ansar menino
44. Faisal menino

45. Warda menina
46. Asif menino
47. Sharooz menino
48. Shamrooz menino
49. Haam menino
50. Danish menino
51. Adal menino
52. Sara menina
53. Aman menino
54. Biniameen menino
55. Shahid menino
56. Zahid menino
57. Aslam menino
58. Joshva menino
59. Khalid menino
60. Irshad menina
61. Pasha menino
62. Amar menino
63. Irfan menino
64. Fozia menina
65. Zunobia menina
66. Faiza menina
67. Younis menino
68. Kosar menina
69. Umer menino
70. Shahzad menino
71. Liza menina
72. Eman menina
73. Janifer menina
74. Mirya menina

75. Eashel menina
76. Shahbaz menino
77. Khouran menino
78. Iftkhar menino
79. Zaiba menina
80. Robi menino
81. Zain menino
82. Khushi menina
83. Zara menina
84. Amoos menino
85. Vickey menino
86. Grace menina
87. Riaz menino
88. Arshad menino
89. Amjad menino
90. Iqbal menino
91. Buta menino
92. Maqsood menina
93. Rubecca menina

"Irmã esta é a lista completa dessas crianças e irmã é difícil para mim lembrar as idades exatas. Irmã estou muito grato a você que você está fazendo muita luta por essas crianças de rua você tem uma grande recompensa no céu e Deus é tão bom eu acredito que Ele vai providenciar a eles patrocínio eu acredito e irmã você é como um anjo para essas crianças por favor **faça algo que eles possam ter comida permanentemente no básico diário** Deus te abençoe abundantemente seu irmão mais novo Evangelista Nadeem Masih".

TESTEMUNHO DO IRMÃO NADEEM

Meu nome é Nadeem Sardar.

Eu nasci em uma família cristã e eu costumava ir à igreja católica com meus pais. Quando criança, sempre que orava, ouvia uma voz... Que você nasceu para um propósito especial. Eu não entendi qual era esse propósito em particular – para quem eu nasci e quem é que me diz isso? Eu estava preocupado com todas essas coisas e comecei a rezar.

Depois de um tempo minha mãe me perguntou por que você não ora. Eu contei toda a história sobre o que acontece comigo depois que eu oro, o que me assustou. Então minha mãe me contou sobre o Espírito Santo que ele falou conosco para nossa orientação – e deixe-nos saber como devemos viver nossas vidas.

Aí eu peguei Tuberculose (TB). Eu não tinha chance de sobrevivência – devido à falta de instalações médicas. Então um homem de DEUS orou por mim e eu me recuperarei em breve – e senti o poder de DEUS dentro de mim. Como ele fez coisas gloriosas por nós e eu entrego minha vida a Deus e fui salvo por sua misericórdia. Todas as glórias ao seu nome.

Meu pai morreu em um acidente de carro quando eu tinha um ano de idade e quando cresci, pude batizar e continuei a orar – Mas o Espírito Santo me disse em seu próprio tempo que eu seria usado para a Glória de Deus. E o espírito santo me guiou para servir as crianças pobres, necessitadas e órfãs – veja os planos de Deus para mim. Quando eu tinha um ano de idade, eu também me tornei órfão com um ano de idade. Quando entrei no serviço de Deus, Deus me dotou com a língua do Espírito Santo.

Agora, quando eu era jovem, o Espírito Santo me ensina que fiquei órfão quando criança para entender a dor dos órfãos e servir a eles, E eu chorei diante de Deus. E agradeceu-lhe por seu mais profundo segredo de Deus. Agora eu tenho 93 crianças a quem estou servindo eu tenho um total de 93 crianças comigo. Vinte e duas crianças são órfãs e 71 são pobres e necessitadas. Tenho 37 viúvas que estamos cuidando e há quarenta famílias que estamos servindo e compartilhando a palavra de Deus. Este é o meu testemunho AMÉM.

"Palavra de Deus de hoje Abençoada é minha vida que eu percebi que a Palavra de hoje é para mim e a reunião da igreja foi tão abençoada e eu fui tão abençoada com ela e agradeço a Deus por nos dar que Ele nos dá a oportunidade de dar Sua palavra todos os dias e estamos cheios disso porque viemos a esta terra para adorá-Lo e Ele está nos usando de maneira poderosa. Agradecê-lo. Senhor te abençoe grandemente".

Teremos facilmente a disponibilidade de Bíblias em urdu em nosso país e compraremos e forneceremos às famílias. Quem precisa desesperadamente dessas Bíblias, O Senhor está com você. A Palavra precisa chegar em todos os cantos do mundo e você está ajudando Deus a te abençoar.

COMO VOCÊ OBTEVE EDUCAÇÃO PARA ENSINAR O EVANGELHO?

Obtive minha educação espiritual na IGM, uma instituição no Paquistão. Depois de me formar, eles me deram este certificado. Graças a Deus. Se você me perguntar sobre isso hoje, eu vou falar sobre isso.

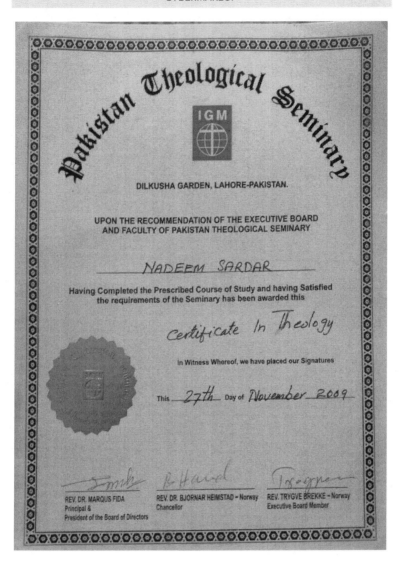

Pakistan Theological Seminary

IGM

DILKUSHA GARDEN, LAHORE-PAKISTAN.

UPON THE RECOMMENDATION OF THE EXECUTIVE BOARD
AND FACULTY OF PAKISTAN THEOLOGICAL SEMINARY

NADEEM SARDAR

Having Completed the Prescribed Course of Study and having Satisfied
the requirements of the Seminary has been awarded this

Certificate In Theology

In Witness Whereof, we have placed our Signatures

This *27th* Day of *November 2009*

REV. DR. MARQUS FIDA
Principal &
President of the Board of Directors

REV. DR. BJORNAR HEIMSTAD – Norway
Chancellor

REV. TRYGVE BREKKE – Norway
Executive Board Member

FAMÍLIA

Irmão Nadeem Sardar ao lado da esposa Mrs Saher.
"Estamos em nosso vestido tradicional paquistanês chamado Shalvar Kameez
e Saher tem vestido frok pode estar lá também as pessoas usam ou não".

O pequeno Feniel, o que seu nome significa é
"Eu vejo Deus na minha frente".

RELATÓRIOS DELES EM 2021

Querida irmã e irmão, espero que você esteja bem e estou muito grato a você e estou usando sabiamente o dinheiro que você me enviou e hoje a jornada de 70 milhas na minha scooter e entrei em contato com eles e lhes dei comida coisas E eles estavam agradecendo do fundo de seus corações e você podia ver os sorrisos em seus rostos nós te amamos muito Deus te abençoe abundantemente

"Pois eu estava com fome e você me deu de comer, eu estava com sede e você me deu de beber, eu era um estranho e você me convidou para entrar eu precisava de roupas e você me vestiu eu estava doente e você cuidou de mim eu estava na prisão e você veio me visitar" (Mateus 25:35-40).

Louvado seja o Senhor aleluia querida irmã Estou muito feliz em ouvir de você e recebi o dinheiro que você me enviou obrigado Senhor E irmã eu sou grato a você e ao irmão que enviou este dinheiro. Querida irmã, sou grato a você do fundo do meu coração por nos enviar esse dinheiro. Também perdemos dois filhos e uma mulher devido à fome E eu estava orando a Deus, então Deus milagrosamente colocou no coração do meu irmão que ele nos alcançaria até este ponto. Fico feliz que com esse dinheiro possa comprar mais comida por uma semana para que essas pessoas não morram de fome. Querida irmã, não entendo como posso lhe agradecer. Se não se importa, agradeça ao seu marido em meu nome. Vocês dois não são menos que anjos para nós. Obrigado querida família em Cristo por nos fornecer alimentos. Deus abençoe você e sua família abundantemente te amamos muito.

NOTÍCIAS 8 DE DEZEMBRO DE 2021

E irmã obrigado por seu apoio e lutas que você está fazendo para as crianças órfãs pobres e necessitadas usamos o dinheiro para comprar as Bíblias e dar essas Bíblias para as crianças e irmãs precisamos de mais Bíblias para fornecer as famílias também precisamos do seu apoio e orações temos sorte de ter uma irmã como você eu e minha esposa estamos distribuindo a Bíblia e te amamos muito querida irmã continue com o bom trabalho de Deus e também estou feliz em saber sobre a irmã que apoiará estes crianças estou realmente muito feliz irmã ainda temos escassez de alimentos e água potável e o Natal também está próximo queremos dar presentes para as crianças no Natal mas não há fundos por favor ore para que Deus forneça algumas mãos financeiras Deus te abençoe abundantemente.

"Minha querida irmã em Cristo, recebi as duas quantias que você nos enviou e irmã é muito útil para nós e você e sua amiga estão fazendo por aqueles que você não conhece, mas você está muito perto deles em Cristo querida irmã estou muito grato a você e sua amiga e desculpe a demora em responder eu estava ocupado comprando presentes e roupas para essas crianças para que elas também possam estar conosco nas alegrias do Natal e seu apoio é uma grande mão para querida irmã dessas crianças, não tenho palavras para agradecer a você, se mais pessoas participarem para ajudar essas crianças, espero que um dia tenhamos uma construção de orfanato para essas crianças, onde elas possam viver e receber educação sobre cristo e elas terão sejam grandes líderes no futuro e querida irmã, tudo isso é possível devido ao seu trabalho árduo e com boas habilidades de comunicação, irmã amanhã vamos visitar essas crianças para fornecer presentes e alimentos, viajaremos 69 milhas, lembre-se de nós em seu oração.

Amamos você e sua linda família e que Deus abençoe você e sua família e ao seu amigo abundantemente.

Muito obrigado, querida irmã, por seu presente de amor de Natal para essas crianças nós te amamos muito e que Deus abençoe grandemente você e sua família.

ONDE O SR. E SUA FAMÍLIA MORAM?

Irmã, minha província é Punjab, a cidade é Faisalabad Madina Town e a área é marriamabad st #4 House #P-242, e de onde minha esposa e eu somos é a cidade de Faisalabad

Antes de se tornar um país separado, o Paquistão e a Índia juntos se tornaram um país e depois se tornaram o padrão na Índia e no Paquistão e a área de Punjab se tornou metade do Paquistão e a maior parte da Índia. O Punjab indiano é chamado de Punjab superior e o Punjab paquistanês é chamado de Punjab inferior.

ONDE ESSAS CRIANÇAS ESTÃO LOCALIZADAS?

Irmã, os nomes das áreas são Toba, Gojra, shahkot, esta área fica na verdade a 20 km de shahkot é o nome da área principal, essas são as aldeias como (panva) e (Bhai wala) este também é um nome de área e existem pequenos áreas também não estão longe.

Isso é Toba, sua estrada chamada gojra, são 60 milhas da cidade de madina a toba e temos que viajar 9 milhas para chegar à vila de Dahi que é da estrada principal, pode ser de alguma forma para cima e para baixo

Onde eles dormem?

Eles trabalham para uma irmã de fábrica de tijolos e dormem em lugares pequenos ou abertos em uma fábrica de tijolos

Que idioma você fala no Paquistão?

Eles falam urdu e punjabi e um pouco de inglês

O que é uma comida típica paquistanesa?

Temos saag, Biryani, frango matka, kadai, korma, sim irmã, temos todos esses pratos também em Faisalabad

Custo de Bíblias e Arroz

A paz esteja com você querida irmã em nome de Cristo Jesus e a moeda do nosso país é a rúpia paquistanesa e cada Bíblia traduzida em Urdu custa $ 10 dólares americanos

O custo de uma sacola de arroz Basmati de 5kg é vendido por cerca de 14 dólares americanos

APOIO, SUPORTE

@evangelist_nadeem_masih

Instagram: https://instagram.com/evangelist_nadeem_ masih1122?utm_medium=copy_link

EM MEMÓRIA

Shakeela B e o bebê Jamil que morreram devido à fome em dezembro de 2021.